ごあいさつ

このたびは『東京のまちみどりっぷ』を
まことにありがとうございました。

さて、読者の皆さまは東京というまちに　　　　　　　　　か?
日本の首都であると同時に、世界有数の大都市へと変貌を遂げた東京は
高層ビルが立ち並び、商業施設や繁華街が集中するまちなかを
ビジネスマンが行き来する大都会……そんな印象が強いことでしょう。
あるいは“コンクリートジャングル”という言葉の通り
どこか無機質で冷たいイメージを描いてしまう方も多いかもしれません。

しかし、実際に東京のまちなかを歩いてみると、
高層ビルの足元に雑木林のような緑地があったり、
商業施設の敷地内に花壇があったり、屋上にも美しい庭園があったり……
東京というまちには、意外なほど多くの“緑”があることに気づかされます。
広々とした公園や、名のある日本庭園もまた魅力です。

あちらこちらにちりばめられた花と緑あふれるスポットで
人々は一休みしたり、ランチを楽しんだり、思い思いに過ごしています。
そんなまちなかの貴重なオアシスを、私たちは東京の“緑力”と呼びます。

この本は、そんな東京の“緑力”スポットを厳選し
エリアごとにマップを交えて紹介する、まちあるきにピッタリのガイドブックです。
買い物や東京散策のお供に、利用していただければ幸いです。

㈱マルモ出版
編集部

目次 Index

コラム column

旧芝離宮恩賜庭園（絵＝浜松町・芝・大門マーチング委員会）

この本の読み方　How to use this book

文化・ビジネスの最先端で命の息吹を感じる

**15 東京ミッドタウン **
Tokyo Midtown

ホテルや美術館、１３０以上のレストラン＆ショップなどが集約された複合施設は、まるで一つの街のよう。そんな都会的な空間を包みこむように設けられたミッドタウン・ガーデンは、地域に開かれたオープンスペースとして、憩いの場としてはもちろん、一年中開催されるイベントを楽しめる緑地空間です。都会と自然、点在するアートが見事に調和した広大な緑の中で、ぜひ思い思いの時間を過ごしてください。東側には港区立檜町公園が隣接しています。

特徴ある４つのゾーンからなる"自然のアート"の中から、お気に入りの地所を見つけてください。

【DATA】所在地：港区赤坂9-7-1 ほか　☎：03-3475-3100
アクセス：東京メトロ「六本木駅」より徒歩約6分、「乃木坂駅」より徒歩約8分　OPEN：5:00～23:00　年中無休

東京ミッドタウンの目の前に広がる、流水と森の公園

16 檜町公園 Hinoki-cho Park

東京ミッドタウンのオープンスペースととけ合うように隣接する港区立公園。江戸時代には毛利家の下屋敷があり、その後は軍用地や防衛庁などを経て公園として利用されるようになりました。ダイナミックな石組と趣のある地形を活かした"渓谷"もあれば、開放的な池や芝生広場、そして遊具広場も。大人も子供も長時間滞在していたくなるスポットです。雑木林には野鳥が、池にはトンボの仲間が毎年のように訪れます。東京ミッドタウンを訪れた際にはぜひ足を運んでみてください。

【DATA】所在地：港区赤坂 9-7-9
☎：03-3475-3100
アクセス：東京メトロ「六本木駅」より徒歩約 8 分
OPEN：終日公園、年中無休

【注意事項】
※連絡先、庭園担当者からのコメントはスポットにより、非掲載の場合があります。
※入園料・入館料などが必要な場合は、DATA欄内に金額を記載しております。ただし、担当者からの希望により非掲載の場合もあります。また、季節や条件等により金額が変動する可能性もありますため、詳細は各スポットに直接お問い合わせください。
※SEGESのロゴは、2020年3月1日時点でSEGES「都市のオアシス」認定を受けているスポットより抜粋して掲載しております。

A スポット名（英名併記）　　**E** 所在地、連絡先、アクセス、開園時間など

B 写真（2～3点）　　**F** SEGES認定サイト ロゴ（右記）

C 解説（スポットの特徴や楽しみ方、街中での利用状況など）

D 庭園担当者からのコメント（特に見てほしいポイントなど）

SEGES（シージェス）とは？

（公財）都市緑化機構が認定。民間企業等によって創出された良好な緑地と日頃の活動、取り組みを評価し、社会・環境に貢献している、良好に維持されている緑地を認定する制度です。
※詳細はWeb（https://seges.jp/）参照

東京周辺の"緑力"発見マップ

解説

地図上（右P）での連番　　掲載ページ

1　井の頭恩賜公園（9-1 ／ 95P）

スポット名　　掲載章・章内での連番

麻布青山の街並
（絵＝麻布・青山マーチング委員会）

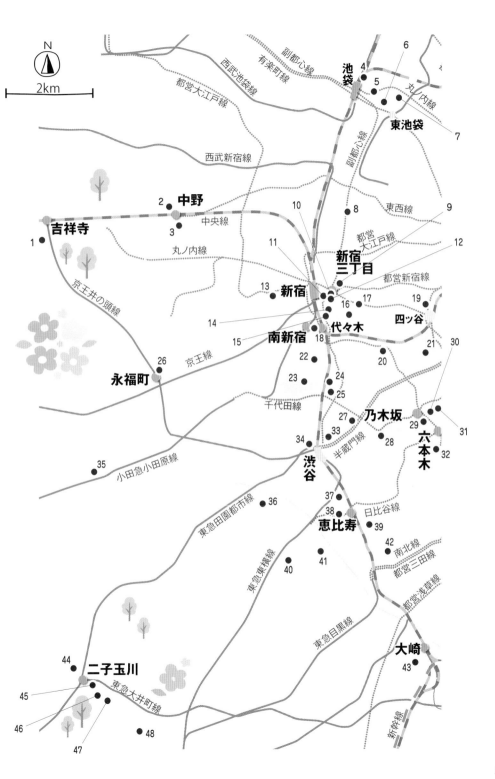

N
2km

副都心線
有楽町線
西武池袋線
都営大江戸線
池袋 4
6
5
丸ノ内線
東池袋
7
西武新宿線
副都心線
2 中野
中央線
8 東西線
3
丸ノ内線
10
都営
大江戸線
11
9
12
吉祥寺
1
新宿
三丁目
都営新宿線
京王井の頭線
13 新宿
17
16
19
14
代々木
四ッ谷
京王線
15 南新宿
18
21 30
永福町
26
22
20
31
23
24
25
千代田線
27 乃木坂
35
33
29
六本木
小田急小田原線
34
28
32
渋谷
半蔵門線
36
東急田園都市線
37
東急東横線
38 日比谷線
恵比寿
39
42
南北線
41
都営三田線
40
南
北
線
都
営
浅
草
線
東急目黒線
大崎
44
43
二子玉川
45
東急大井町線
46
47
48
新
幹
線

5

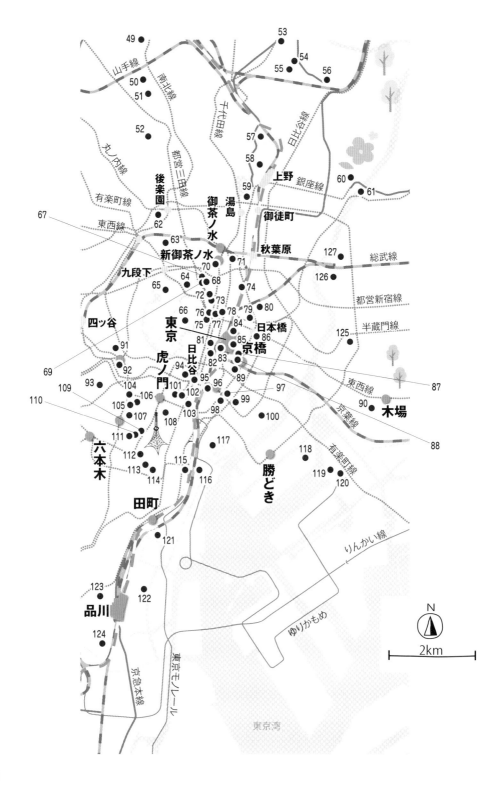

その他の東京都内における "緑力" スポット（マップ外）

緑のチカラで、まちを元気に

緑地をサード・プレイスに
－品川シーズンテラス－

1／みどりの芝生で、新しいアイディアが生まれ、社員の心がリフレッシュできる「アウトドアオフィス」 2／東京タワーを背景に、都会の夜景と映画が鑑賞できる「品川オープンシアター」 3／非日常の雰囲気で体を動かし、自分と向き合う「ナイトグラスヨガ」 4／こだわりぬかれた全国各地のやきいもが品川に集結「品川やきいもテラス」 5／どこか懐かしいレトロ感ただよう"横丁"で社内のコミュニケーションアップ「品川横丁テラス」

　「サード・プレイス」とは、自宅でも職場や学校でもない、自分にとって心地よい時間を過ごせる場所のこと。アメリカの社会学者レイ・オルデンパークが著書『The Great Good Place』で提唱した言葉で、近年注目を集めています。今回は公園や広場を活用し、居心地よく多様な使い方ができる空間として、品川シーズンテラスをご紹介します。

　TOKYO2020のオリンピック・パラリンピックに向けて開発が進む「品川開発プロジェクト」に近い品川シーズンテラスは、2015年5月のグランドオープンから、「品川駅周辺で活動する企業や地域のみなさんといっしょにオリジナリティあふれる新しい品川スタイルをつくり出したい！」をモットーに、品川で働くこと・品川に住まうことが、もっとわくわく・楽しく・心地よくなるようなプログラムを展開しています。最大の特徴である広大な芝生広場を使ったヨガやオープンシアター、シーズンマルシェ、そしてアウトドアオフィス……このような取り組みは「エリアマネジメント」と呼ばれ、全国各地でさまざまな成果を生み出しています。

（文・写真＝（公財）都市緑化機構）

エリア別に東京の"緑力"を探す
花と緑のまち歩き

1

渋谷区

花と緑の まち歩き

1

渋谷区

1. タカシマヤ タイムズスクエア
2. 新宿サザンテラス
3. 代々木 VILLAGE by kurkku
4. 明治神宮
5. 東急プラザ表参道原宿
6. 代々木公園
7. 東郷神社
8. 渋谷モディ
9. 渋谷キャスト
10. ロググロード代官山
11. 恵比寿ガーデンプレイス
12. エビスグリーンガーデン

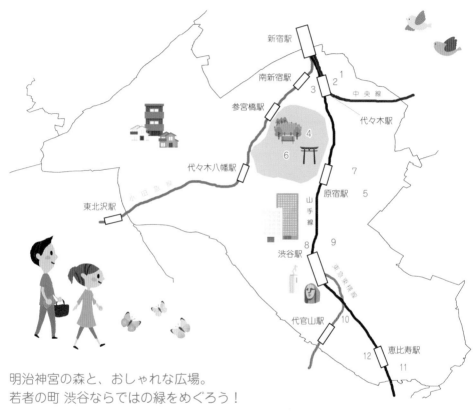

明治神宮の森と、おしゃれな広場。
若者の町 渋谷ならではの緑をめぐろう！

　渋谷駅前のスクランブル交差点に、大音量の映像が流れるたくさんのデジタルサイネージ……いずれも今の渋谷を代表する光景です。1964年に開催された東京オリンピックを転機として道路が整備・拡張され、渋谷は大きな変貌を遂げました。今の渋谷の基盤がつくられたのも、ちょうどこの時期です。

　ファッションもカルチャーも常に流行の先端を行く街、渋谷。その一方で「春の小川はさらさら行くよ」の歌い出しで知られる童謡『春の小川』のモチーフとなった渋谷川が流れ、2020年で生誕100周年を迎える明治神宮の森や隣接

する代々木公園など、意外なほど緑豊かなエリアでもあります。また、渋谷駅から徒歩約5分と近く、空中公園としてオープンし50年目を迎えた宮下公園も魅力の1つ。2020年6月には商業施設も併設された『MIYASHITA PARK』としてリニューアルオープンされる予定です。その他にも、にぎやかな渋谷の街のあちこちに、緑に囲まれたお店などがたくさんあります。

　緑に囲まれながらティータイムやおしゃべりしたり、青空の下、広場でののびのびとくつろいだり……渋谷の新しい"楽しい"を体感してみませんか。

キツツキの仲間 コゲラ。近頃は渋谷の公園や街路樹でもまれに見かけます。「ギー」と濁った声が聞こえたらまわりをチェック！

すずしげな「白」に癒される、地上13階のお庭

① タカシマヤ タイムズスクエア
TAKASHIMAYA Times Square

地上13階のテラスに広がる「ホワイトガーデン」には、ライラックやジンチョウゲ、ジューンベリー、アナベルなど、その名の通り白い花を咲かせる植物が多く植えられています。このガーデンはレストランフロアを囲むように広がっていますので、食事やお茶をしながら景色を楽しめるのもうれしいポイント。天気の良い日であればテラス席もご利用いただけます。東京タワーやスカイツリーなどを見られる眺望のよさも魅力力です！

春には色んな種類の白いお花が楽しめるほか、ハーブやカラーリーフなど多様な植栽があり、グリーンのグラデーションも楽しんでいただけます。
（竹内恵子さん）

【DATA】 所在地：渋谷区千駄ヶ谷5-24-2　☎：03-5361-1111　アクセス：JR「新宿駅」新南改札より徒歩約2分、東京メトロ副都心線「新宿三丁目駅」より徒歩約3分、京王新線「新宿駅」より徒歩約5分　OPEN：10:00～22:00（一部エリアは3～10月は19時迄、11～2月は18時迄）、店舗休日に準ずる

壁面緑化がアクセント。新宿駅前のおしゃれな広場

② 新宿サザンテラス
Shinjuku Southern Terrace

新宿駅の南西側に位置する駅前広場で、駅舎の壁を覆う大きな壁面緑化がシンボルです。コーヒーショップもあり、新宿を訪れた観光客やオフィスワーカーにとっては貴重な休憩スポットとなっています。JRの線路を見下ろすデッキにも様々な草木が植えられており、季節ごとに様々な花が咲きます。高層ビルが立ち並ぶ新宿新都心の玄関口は、花と緑に彩られた広場なのです。

【DATA】 所在地：渋谷区千駄ヶ谷5-24-55　☎：03-5652-5886
アクセス：JR「新宿駅」より徒歩約1分
OPEN：終日公開、年中無休

現代のプラントハンターが集めた世界中の草花が集結！

③ 代々木 VILLAGE by kurkku
YOYOGI VILLAGE by kurkku

ガーデンのテーマは「共存」。プラントハンター 西畠清順さん（そら植物園代表）が世界中から集めた大小さまざまな植物が見られる稀有なスポットです。季節ごとに行われる大人気のお庭つくりワークショップで、四季折々の雰囲気に。異なる気候・環境で育ってきた植物が集まって、東京の街中に1つの森を作っていく……そんなワクワクする空間です。お食事やお買い物のほか、定期的に敷地内でマルシェも開催されるなど、お楽しみコンテンツもたくさん！

お庭の中央にある、オーストラリアからやってきたボトルツリーは目玉のひとつ。日本の植物とは違うユニークな姿が魅力的！（森 土樹夫さん）

【DATA】 所在地：渋谷区代々木1-28-9　☎：03-6276-2877　アクセス：JR「代々木駅」より徒歩約2分、都営大江戸線「代々木駅」より徒歩約1分、小田急線「南新宿駅」より徒歩5分　OPEN：8:00～27:00

撮影：佐藤岳彦

【DATA】所在地：渋谷区代々木神園町1-1
　　　　☎：03-3379-5511
　　　　アクセス：JR「原宿駅」より徒歩約1分
　　　　OPEN：日の出〜日の入（月により異なる）、年中無休

2020年で創建100周年を迎える、人の手で生まれた人工の杜

④ 明治神宮　Meiji Jingu
めい　じ　じんぐう

明治天皇と皇后の昭憲皇太后をお祀りする神社。JR原宿駅よりほ
ど近くに位置する、明治神宮の静かで深い杜です。様々な草木が茂る、
緑したたる豊かな杜になっており、多彩な季節の花にも出合える場所
となっていますが、かつては木もほとんどない荒れ地でした。計算さ
れた植栽計画の下、献木された木々は、年月をかけて成長し、今で
はタカやタヌキなどのおよそ都会とは無縁そうな生きものの姿も…。
奇しくも東京オリンピック・パラリンピック開催予定年に創建100周年
を迎えた森は、東京屈指の命豊かな森へと成長しました。

神宮前の交差点に隣接した、おしゃれな空中庭園

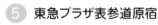

⑤ 東急プラザ表参道原宿
Tokyu Plaza Omotesando Harajuku

地上6階の屋上テラス「おもはらの森」は、26本の樹木を
軸に、日本の在来種を中心として全部で50種類以上の植
物を植えています。限られた敷地ながら、ウッドデッキの広
場で高木が葉を茂らせ下草が花を咲かせる様はまさに森のリ
ゾートそのもの。カワラナデシコやキキョウなどの山野草も
観賞いただけます。同フロアにコーヒーショップがあるので、
緑に囲まれながらリラックスした気分で一時を満喫できます。

【DATA】所在地：渋谷区神宮前4-30-3　☎：03-3497-0418
　　　　アクセス：JR「原宿駅」より徒歩約4分、東京メトロ銀座線「明治神宮前駅」
　　　　より徒歩約1分。　OPEN：11:00〜・21:00 ※一部店舗は異なる

水・花・緑が美景観を描き出す都市公園

6 代々木公園　Yoyogi Park
（よよぎ）

明治神宮御苑に隣接する代々木公園は、かつて東京五輪の選手村があった場所でもあります。開園は昭和42年。豊かな森あり、花壇あり、噴水（水の高さは最大約30m）あり、思い切り身体を動かせる中央広場ありと、さまざまな環境を兼ね揃えた大型都市公園です。「都会で最も広い空が見える森林公園」と謳われるほど、とにかく中央広場の開放感は圧倒的！くつろぎの一時を楽しめます。また、緑豊かな御苑と隣接しているため、特に冬場には野鳥も多く飛来することでしょう。

【DATA】　所在地：渋谷区代々木神園町2-1
　　　　　☎：03-3469-6081
　　　　　アクセス：JR「原宿駅」または小田急線「代々木上原駅」より徒歩
　　　　　約3分　　OPEN：終日公開、年中無休

水景と緑が美しい、東郷平八郎を祀る神社

7 東郷神社
（とうごう）　Togo Jinja

日本のみならず、世界の人々からも「大東郷」と尊敬される英雄 東郷平八郎氏を祀る神社。緑に囲まれた池にはたくさんのコイが泳ぎ、賑わいの絶えない原宿の商店街に近い立地ながら、常に落ち着いた雰囲気を醸し出しています。境内には『海軍特年兵の碑』などの慰霊碑があるほか、お守りの頒布も実施。また、次世代への緑を継承する基金活動として、植樹を行う団体への寄付なども行っています。

【DATA】　所在地：渋谷区神宮前1-5-3　☎：03-3403-3591
　　　　　アクセス：JR「原宿駅」より徒歩3分、東京メトロ「明治神宮前駅」より
　　　　　徒歩約5分　　OPEN：6:00〜17:00、年中無休

13

神南の交差点を彩る、緑と融合したショッピングビル

⑧ 渋谷モディ
Shibuya MODI

代々木公園方面へと続くゆるやかな坂 渋谷公園通りの玄関口に位置する商業施設。「丸井渋谷店本館」「マルイシティ渋谷」などを経て、2015年のリニューアルオープンによって今の形となりました。さまざまな角度から見られる曲線状の巨大な壁面緑化は圧巻。使われている植物も大変豊富で、季節ごとの色の変化も楽しめます。ベンチのあるエントランス広場は、待ち合わせなどに最適なスポットです。

【DATA】 所在地：渋谷区神南1-21-3 ☎：03-3464-0101
　　　　アクセス：各線「渋谷駅」より徒歩約3分
　　　　OPEN：11:00～21:00、不定休

【DATA】 所在地：渋谷区渋谷1-23-21
　　　　アクセス：各線「渋谷駅」B1出口より徒歩約1分
　　　　OPEN：終日公開、年中無休

2017年春にオープン。美しき渋谷のアート空間

⑨ 渋谷キャスト
Shibuya Cast

明治通りに面した大きなオープンスペースには四季折々の植物が植えられ、円形・曲線美を活かしたデザインによくマッチしています。ここはステージイベントやマルシェの会場として利用されるほか、クリエイターによるアートイベントの数々は特に刺激的。ビル内にもクリエイティブ系に関わる企業・団体などが多く入っており、施設全体で渋谷エリアの新しい文化の成長を見守り、育む場となっています。

東横線の線路跡地が、心地よい緑の散策路に!

⑩ ログロード代官山
Log Road Daikanyama

かつては東横線の線路だったスペースを、おしゃれなショップが立ち並ぶパブリックスペースに大転換。約220メートルにおよぶ散策路にはたっぷりと草木が生え、木陰にはベンチも多く設置されています。このベンチのデザインもオーソドックスなものから飛び石みたいな形のものまでで多彩で、ちょっと散策しているだけでも色々な面白さがあります。代官山ならではの落ち着いた雰囲気も健在の、新しい名所です。

【DATA】 所在地：渋谷区代官山町13-1
　　　　アクセス：東横線「代官山」駅より徒歩約4分
　　　　OPEN：店舗により異なる

様々な花木を愛で、都会で季節を感じる

⑪ 恵比寿ガーデンプレイス
YEBISU GARDEN PLACE

言わずと知れた恵比寿の名所ですが、実は植物も豊富なスポット。サッポログループ本社棟前に広がる「サッポロ広場」には、芝生が敷かれ、地域に開かれた「集う」「憩う」「つながる」場として活用されています。また、四季折々の花々をはじめ、レモンやドングリ、キンカンなどの実のなる木、ミントやローズマリー、セージといったハーブ類など、実にバリエーションに富んだ植物を観賞できます。お買い物のついでに散歩してみてはいかが？

【DATA】所在地：渋谷区恵比寿4-20　☎：03-5426-7111　アクセス：JR「恵比寿駅」東口より徒歩約5分、東京メトロ日比谷線「恵比寿駅」より徒歩約7分（動く歩道「恵比寿スカイウォーク」使用）　OPEN：終日公開・年中無休

渋谷・六本木の街を一望できる回遊式屋上庭園

⑫ エビスグリーンガーデン
Ebisu Green Garden

JR恵比寿駅の駅ビル Atre（アトレ）恵比寿の屋上に広がる、総面積約2,100㎡におよぶ屋上庭園です。シンボルツリーであるオリーブの木を中心に、周囲の花壇では季節の植物やハーブ類などが代わる代わる花を咲かせます。リサイクル素材を使った地球にやさしいウッドデッキを歩いて回遊できるこのガーデンは、地元の方や駅利用者にとっての貴重な花と緑のオアシスです。また、園内では貸菜園も運営しています。

【DATA】所在地：渋谷区恵比寿南1-5-5　アクセス：JR「恵比寿駅」直結、東横線「代官山駅」より徒歩約10分、「中目黒駅」より徒歩約15分　OPEN：10:00〜（季節により閉園時間は異なる）

CHECK！ 立体都市公園『MIYASHITA PARK』2020年6月にグランドオープン

1966年に東京初の屋上公園として生まれ、渋谷区民に長らく親しまれてきた宮下公園。このたび再整備工事を経て、2020年6月、公園・駐車場・商業施設・ホテルが一体化した新しい低層複合施設として生まれ変わります。全長約330mにもおよぶ、渋谷の新しい緑あるスポットとして、大いに賑わうことが期待されています。

【所在地】渋谷区渋谷1〜神宮前6

画像は全てイメージです

キーワードで巡る渋谷区エリア

（画像出典／＊1＝国立国会図書館デジタルアーカイブス、＊2＝緑と水の市民カレッジ 東京グリーンアーカイブス）

原宿駅：イギリス調、木造駅舎もTOKYO2020オリンピック・パラリンピック後に解体されて建て替えられる予定

渋谷区の地形

左／明治神宮の森（＊2）
右／森林公園をコンセプトにした代々木公園（2019年）

左／表参道、植栽当初のケヤキ並木（＊2）
右／2019年のケヤキ並木

忠犬ハチ公

　このエリアのタウンスケープを読み解くキーワードは「谷」「坂」「台地」「森」「回遊性」です。

　渋谷エリアの歩行軸は、渋谷川の谷と台地を結ぶ「坂」です。ほとんどが暗渠化されて見えない渋谷川と、その支流の宇田川、河骨川（童謡春の小川の舞台）を軸にコンパクトな6つの台地に囲まれ、主要駅から約1km程度の各台地の広がりは、街を回遊するのに適当な規模です。ターミナル駅である渋谷駅とスクランブル交差点のあたりは渋谷川の谷の底にあり、渋谷の小さなランドマーク 忠犬ハチ公前の広場を背に、渋谷を代表する2つの「坂」があります。右手の東渋谷台を上り青山学院、白根記念郷土博物館・文学館へ至る「宮益坂（富士見坂）」、左手の駒場台に延びる「道玄坂」を上がると松濤公園（明治期に鍋島家が茶園・松濤園を経営）、建築家 白井晟一設計の区立松濤美術館、陶磁器の展示の戸栗美術館が、その手前に文化村Bunkamuraと続きます。その南の西渋谷台には、閑静な住宅地南平台、代官山。ビール工場から名前が付いた恵比寿駅から南へ進むと、新しい街 恵比寿ガーデンプレイス、その一角に都立写真美術館があります。

　もう一度、ハチ公前広場を背に視線を中央に戻すと、神宮と代々木の森へ向かう新しく生まれた賑わいの坂道「公園通り」が視野に入ってきます。その北側の幡ヶ谷台の初台に新国立劇場、東には千駄ヶ谷台に国立能楽堂、そして東京体育館があります。江戸期の渋谷は近郊農村地帯で、大名屋敷も下屋敷が多く、その名残をとどめる場所は明治神宮内苑：近江彦根藩井伊家、東郷神社：石見津和野藩亀井家など。こののどかな渋谷に明治29年（1896）、今のNHK付近に国木田独歩が居住して代表作『武蔵野』を著しました。

　大正9年（1920）、この武蔵野の代々木台にあった皇室御料地に「明治神宮の森」が造営され、同時に外苑との連絡道路としてケヤキ並木の表参道が誕生しました。この森の清正の井戸から現在も湧水が湧き、原宿竹下通り裏ブラームスの小径の下を流れています。また、近くには浮世絵太田記念美術館などがあります。この代々木台を舞台にして1964年、第18回オリンピック東京大会に向けて選手村、渋谷公会堂、建築家丹下健三設計の国立代々木競技場が完成し、選手村跡に明治神宮の森と一体となった新たな「森」、代々木公園（2017年開園50周年）が昭和42年（1967）に誕生しました。

　そして令和元年（2019）11月には、渋谷エリアで最も高い230mの渋谷スクランブルスクエアが開業しました。

エリア別に東京の"緑力"を探す
花と緑のまち歩き

2

港区

花と緑の まち歩き 2

港区

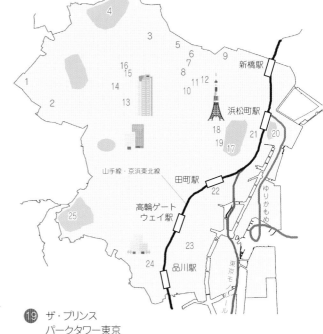

1. Ao ＜アオ＞
2. 根津美術館
3. 赤坂サカス
4. 迎賓館赤坂離宮
5. コマツビル屋上庭園
6. 赤坂インターシティ AIR
7. 赤坂インターシティ
8. アークヒルズ
9. 虎ノ門ヒルズ 森タワー
10. アークヒルズ 仙石山森タワー
11. 城山ガーデン
12. 神谷町 MT ビル
13. 六本木ヒルズ
14. TRI-SEVEN ROPPONGI
15. 東京ミッドタウン
16. 檜町公園
17. 芝公園
18. 東京 芝 とうふ屋うかい
19. ザ・プリンス パークタワー東京 プリンス芝公園
20. 旧芝離宮恩賜庭園
21. 日本生命浜松町クレアタワー
22. Granpark
23. 品川シーズンテラス
24. グランドプリンスホテル高輪 日本庭園
25. 国立科学博物館附属自然教育園

緑とともに歩む、東京の最先端シティ。
高層ビルをバックに広がる公園・庭園も魅力的です。

　東京港、羽田空港、成田空港とも直結する品川駅を軸に全国と結ばれる港区は、人・モノ・情報が集まる街といえます。古くは江戸時代から城下町として栄え、武家屋敷や神社、仏閣をはじめとする歴史資源が今も数多く残されています。

　一方で港区は、上質なアートやデザイン空間、話題のショッピングやグルメなどが集結し、一日中遊べるインテリジェンスな街。そんな新しいビルが立ち並ぶ都心でありながら、四季の移ろいを楽しめる広い緑地があるのも大きな魅力です。

　例えば、開園300年以上という日本最古の大名庭園の1つ 旧芝離宮恩賜庭園。サクラやモミジ、滝、渓流などコンパクトな見所いっぱいの毛利庭園。五感に響く、魅力的な水辺に出会える憩いの庭 檜町公園。華やかな通りのすぐ裏で、武蔵野の面影をとどめる国立科学博物館附属自然教育園。小鳥が訪れる街を目指して造られた緑あふれる屋外空間が自慢のアークヒルズ仙石山森タワーなど。ぶらりと立ち寄りたくなる港区の花と緑のスポットを一挙に紹介します。

とても小さくて繊細な印象のイトトンボ。檜町公園や毛利庭園などの池の畔で、水面近くをゆっくりと飛んでいます。

段々状のテラスに緑を取り入れた空中庭園

1 Ao ＜アオ＞
Ao

全部で4階層にわたるテラスに季節にあった草木を植えた、立体感のある屋上庭園が特長です。下から見上げれば、まるで緑の小山のよう。ガラス張りの建物ともよくマッチしています。レストランやカフェのテラス席は公園さながらの美しい緑に囲まれ、ちょっとリッチな雰囲気。植物の種類がとても豊富なので、ビューポイントを変えたり違う季節に足を運んでみると、その都度新鮮な感動が得られることでしょう。

【DATA】 所在地：港区北青山3-11-7　☎：03-6427-9161
アクセス：東京メトロ「表参道駅」より徒歩約1分
OPEN：11:00〜20:00ほか（店舗により異なる）、年中無休

起伏のある地形を活かした日本庭園のある美術館

2 根津美術館
Nezu Museum

東武鉄道の社長などを務めた実業家 根津嘉一郎氏の古美術コレクションの美術館。入口は竹と石で構成されたアプローチの先にあり、都会の喧騒から一時離れて芸術の世界を満喫できる施設です。本館の庭園口を出た先には、緑豊かな日本庭園があり、歴史を感じさせる石仏や燈籠、茶室など、和の魅力に満ちあふれています。高低差のある庭園は在りし日の風景を彷彿とさせ、どこか神秘的でもあります。

庭園の石仏　　　　　　　正門からのアプローチ

庭園内の茶室「弘仁亭」

【DATA】 所在地：港区南青山6-5-1　☎:03-3400-2536　アクセス：東京メトロ「表参道駅」より徒歩約8分　OPEN：10:00〜17:00、月曜・展示替期間・年末年始休館

シンボルツリーのサクラが目を惹く再開発スポット

3 赤坂サカス
Akasaka Sacas

TBS放送センター、赤坂ACTシアター等がある赤坂サカスは、発展著しい赤坂の再開発エリアの一角であると同時に、このエリア有数のサクラの名所でもあります。開発前からこの地にあるサクラも含め、合計約100本のサクラが2ヶ月間にわたって開花し、楽しませてくれることでしょう。そのほか、名前の通り多数の「坂」を有する地形のほか、赤坂の土地の記憶を残し、未来へと継承していく貴重なスポットです。

【DATA】 所在地：港区赤坂5-3-6　☎：なし（メールは sacas@tbs.co.jp）
アクセス：東京メトロ「赤坂駅」直結、「赤坂見附駅」より徒歩約8分
OPEN：終日公開、年中無休

世界各国の国王や大統領を迎える由緒正しき迎賓館

 迎賓館赤坂離宮　げいひんかん　State Guest House AKASAKA PALACE

【DATA】所在地：港区元赤坂2-1-1
☎：03-5728-7788
アクセス：各線「四ツ谷駅」より徒歩約7分
OPEN：10:00〜16:00、公開日はWebで要確認

毎年園遊会の催される赤坂御用地（赤坂御苑）の一角に位置する迎賓館で、創建100年の2009年に国宝に指定されました。2016年より通年での一般公開（有料）を開始し、事前申込（抽選）をすれば和風別館「游心亭」の参観も可能です（中学生以上）。歴史を感じさせる建物をバックに広がる、洗練されたデザインの整形式庭園は、御用地内ということもあり大変落ち着いた雰囲気で、国内外より多くの観光客が訪れます。前庭ではキッチンカーも出店しており、1日20食限定でアフタヌーンティーも提供しています。

1966年誕生。歴史ある屋上庭園は魅力満載

 コマツビル屋上庭園
Komatsu Building Roof Garden

ビルが建てられた時からある、日本でも非常に歴史の深い屋上庭園です。シダレザクラなどが春に咲き誇る『桜庭園』、とりわけ花いっぱいでカキやベリー類などの果樹の実がなる『デッキガーデン』、都内にもかかわらずたくさんの山野草が花開く『スクエアガーデン』という趣の異なる3種類のガーデンで成り立っています。毎週金曜の限られた時間のみ一般公開中。ぜひ14時からじっくり散策してみましょう！

【DATA】所在地：港区赤坂2-3-6　☎：03-3584-6531　アクセス：東京メトロ「溜池山王駅」9番出口より徒歩約2分　OPEN：毎週金曜の14:00〜16:00のみ限定開園（金曜休日の場合は非公開）※詳細は(公財)日本花の会HP参照

赤坂の高層ビル群に、雑木林と草花が広がる

⑥ 赤坂インターシティ AIR

Akasaka Intercity AIR

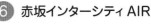

地域固有の樹種を中心に240の樹種からなる5,000㎡超の緑地です。東京メトロ「溜池山王駅」14番出口から、虎ノ門方面へと続く3列植栽の並木道には、心地良い木陰と水景が広がります。散策路をはじめ、緑地の至る所にベンチを設置しました。剪定は必要最低限にし、野山の雑木林さながらの趣を楽しめます。春にはサクラ、続いてツツジが花開き、秋には紅葉が緑地を彩ります。緑に囲まれたカフェでゆっくりお過ごしください。

江戸時代に庶民の憩いの場であった溜池のほとりの再生・継承を目指し、水と緑で囲まれた街に開かれた場所を作りました。(日鉄興和不動産㈱ 杉山康隆さん)

庭園担当者から一言

【DATA】所在地：港区赤坂1-8-1　☎：03-5575-5721
アクセス：東京メトロ「溜池山王駅」より徒歩約2分、「国会議事堂前駅」より徒歩約7分　OPEN：終日公開、年中無休

せせらぎの水音が涼しい、野木と宿根草彩るお庭

⑦ 赤坂インターシティ

Akasaka Intercity

高層ビルは表通りの樹列越しにたたずみ、樹木の緑は台地上の閑静な住宅エリアと繋がるように、奥へと広がります。モクレン並木の坂道をのぼると、都心では少ない自然の斜面林を借景した静かなお庭につながります。玉石に流れるせせらぎの心地よい水音をたどって、季節を彩る野木と宿根草の小路をくぐりぬけると、大きなシダレザクラを望む水盤があり、季節を通して緑を楽しむことができます。

竹の小径を抜けると、水景と一体になった季節感のある庭園の姿が一望できます。(日鉄興和不動産㈱ 中野孝宣さん)

庭園担当者から一言

【DATA】所在地：港区赤坂1-11-44　アクセス：東京メトロ「溜池山王駅」より徒歩約3分、「国会議事堂前駅」より徒歩約8分
OPEN：終日公開、年中無休

ふらりと立ち寄りたくなる緑空間。バラも魅力！

⑧ アークヒルズ

ARK Hills

緑地の総面積は首都圏有数の広さ。各ガーデンには都会の中であることを忘れさせる豊かな四季の景色が広がり、子供たちと一緒に自然体験ワークショップも実施しています。満開期のサクラやバラのアーチなどが美しい一方、虫や鳥などの小さな生きものが暮らす環境づくりにも積極的。英国国旗の形をした『ルーフガーデン』は、動植物を保護するために春と秋に数日のみ開園される、自然美と華やかさを両立させた至極の空間です！

外周道路のサクラを除けば、ほとんど地下に建物がある屋上緑化になっているんですよ。完成から30年を経て、豊かなみどりに成長しました。

庭園担当者から一言

【DATA】所在地：港区赤坂1-12-32　☎：03-6406-6663　アクセス：東京メトロ「六本木一丁目駅」より徒歩約2分、「溜池山王駅」より徒歩約3分
OPEN：8:00〜21:00（ルーフガーデンのみ公開時期限定）、年中無休

緑の広場は、多彩なアクティビティの場に

❾ 虎ノ門ヒルズ 森タワー
Toranomon Hills Mori Tower

緑地面積は約6,000㎡。起伏のある緑地内にはたくさんのベンチを置き、清涼感をもたらす小川も魅力的です。また、室内アトリウムからも大きな窓を介してガーデンの風景をお楽しみいただけます。広々とした芝生広場は、ヨガ教室などの様々なイベントの場として、竣工以来多くの人々に愛されています。緑地に展示されたパブリックアートもユニークで、屋外ながら美術館を見学する感覚で楽しめることでしょう。

日暮れ時に環状2号線をまたぐ豊かな緑地から、下を行き交う車のライトを眺めるのも都会ならではの景色ですよ。

庭園担当者から一言

【DATA】 所在地：港区虎ノ門1-23-1　☎：03-6406-6350
アクセス：東京メトロ「虎ノ門駅」より徒歩約4分、「神谷町駅」より徒歩約8分
OPEN：終日公開、年中無休

小鳥や昆虫に満ち溢れる、生きもの豊かな街の最先端

❿ アークヒルズ 仙石山森タワー
ARK Hills Sengokuyama Mori Tower

スダジイやヤマザクラなどの日本在来の木々に囲まれる『こげらの庭』には、名前の通りコゲラ（キツツキの仲間）を始めとした野鳥やトンボなどの昆虫が訪れます。在来の植物にこだわったのみでなく、あえて枯れ木や落ち葉を残すことで小動物や昆虫の住みかを残すという取り組みも実施。これらが高く評価され、（公財）日本生態系協会が認証するJHEP認証制度では、最高ランク（AAA）を受けています。

【DATA】 所在地：港区六本木1-9-10
アクセス：東京メトロ「神谷町駅」または「六本木一丁目駅」より徒歩約5分
OPEN：終日公開、年中無休

都内であることをつい忘れてしまう、虎ノ門の「森」

⓫ 城山ガーデン
Shiroyama Garden

城山ガーデンのオープンスペースは、一際濃い緑陰が特徴。「まるで森林公園みたい」と感じる方も多いのではないでしょうか。大きく成長したたくさんの木は、夏、青々と豊かな葉を茂らせ、真夏の暑さをかなり和らげてくれます。敷地内に咲くアジサイも森の風景とよく合い、落ち着いた佇まいを演出してくれることでしょう。高さ約16メートルにおよぶイチョウの木は、港区の保護樹木に指定されています。

【DATA】 所在地：港区虎ノ門4-3-1 ほか　☎：03-5511-2255
アクセス：東京メトロ「神谷町駅」より徒歩約3分
OPEN：終日公開、年中無休

森・水・石が織りなすビジネス街のオアシス

⑫ 神谷町MTビル
Kamiyacho MT Building

ケヤキやヤマモモ、クスノキなどの高木とタケが緑陰をもたらすオフィスビルのオープンスペースです。神谷町駅に直結しており、オフィスワーカーの憩いの場として愛されています。石造りの噴水もポイント。深い緑とせせらぎが、都会の喧騒を一時忘れさせてくれることでしょう。ビル内にはコンビニもありますので、ランチタイムには広場で食事をとっている方も多く見られます。

【DATA】 所在地：港区虎ノ門4-3-20　☎：03-5511-2255
アクセス：東京メトロ「神谷町駅」直結、「六本木一丁目駅」より徒歩約8分
OPEN：終日公開、年中無休

水と緑の毛利庭園。上方からの眺めも抜群！

⑬ 六本木ヒルズ
Roppongi Hills

六本木の町を象徴する文化・ビジネスの最先端。緑や花々に彩られたオープンスペースもまた魅力です。とりわけ約4,300㎡という東京有数の広いスペースに池やせせらぎなどを有する『毛利庭園』は必見。元々は大名 毛利家の屋敷の庭園だったこともあり、江戸時代の遺構も保存されています。池の周辺にはトンボやチョウのほか、カルガモの親子が訪れることも！ 秋には紅葉、冬にはイルミネーションも楽しめます。

よ〜く見るとメジロ、シジュウカラ、ヒヨドリ、ウグイス、ハクセキレイ、シロハラなど、たくさんの野鳥もみつかりますよ。

庭園担当者から一言

【DATA】 所在地：港区六本木6-10-1　☎：03-6406-6000
アクセス：東京メトロ「六本木駅」より徒歩約2分
OPEN：7:00〜23:00（屋上庭園のみ公開時期限定）、年中無休

ハイセンスな街に映える水・緑・石の調和

⑭ TRI-SEVEN ROPPONGI
TRI-SEVEN ROPPONGI

2016年春に竣工。最先端のビルとは対照的に、オープンスペースは南北朝時代からの歴史を持つ天祖神社（隣接）と一体的につくられ、神社の境内と繋がる形で雑木林のような空間になっています。かつて神社の境内で見られたような鎮守の森を思いだす方も多いことでしょう。オフィスワーカーや買い物客にとっては貴重な緑のオアシスです。なお、名前の「TRI-SEVEN」は、住所の7-7-7にちなんで付けられたものです。

木々に囲まれたピロティにはカフェがあり、ゆったりと過ごすことができるので、地域の方々だけでなく、観光客にも人気です。

庭園担当者から一言

（愛植物設計事務所 山野さん）

【DATA】 所在地：港区六本木7-7-7　☎：03-5770-3260
アクセス：東京メトロ「六本木駅」より徒歩約3分、「乃木坂駅」より徒歩約4分　OPEN：終日公開、年中無休

文化・ビジネスの最先端で命の息吹を感じる

⑮ 東京ミッドタウン
Tokyo Midtown

ホテルや美術館、130以上のレストラン＆ショップなどが集約された複合施設は、まるで一つの街のよう。そんな都会的な空間を包みこむように設けられたミッドタウン・ガーデンは、地域に開かれたオープンスペースとして、憩いの場としてはもちろん、一年中開催される様々なイベントを楽しめる緑地空間です。都会と自然、点在するアートが見事に調和した広大な緑の中で、ぜひ思い思いの時間を過ごしてください。東側には港区立檜町公園が隣接しています。

特徴ある4つのゾーンからなる"自然のアートギャラリー"で、お気に入りの場所を見つけてください。

【DATA】 所在地：港区赤坂9-7-1 ほか　☎：03-3475-3100
アクセス：東京メトロ「六本木駅」より徒歩約6分、「乃木坂駅」より徒歩約8分　OPEN：5:00～23:00、年中無休

【DATA】 所在地：港区赤坂 9-7-9
☎：03-3475-3100
アクセス：東京メトロ「六本木駅」より徒歩約8分
OPEN：終日公開、年中無休

東京ミッドタウンの目の前に広がる、流水と森の公園

⑯ 檜町公園 <ruby>檜町公園<rt>ひのきちょうこうえん</rt></ruby> Hinoki-cho Park

東京ミッドタウンのオープンスペースととけ合うように隣接する港区立公園。江戸時代には毛利家の下屋敷があり、その後は軍用地や防衛庁などを経て公園として利用されるようになりました。ダイナミックな石組と高低差のある地形を活かした"渓谷"もあれば、開放的な池や芝生広場、そして遊具広場も。大人も子供も長時間滞在していたくなるスポットです。雑木林には野鳥が、池にはトンボの仲間が毎年のように訪れます。東京ミッドタウンを訪れた際にはぜひ足を運んでみてください。

日本最古の公園の１つ。今でも都民の心のよりどころ

17 芝公園  Shiba Park

公園として指定されたのは1873年。上野恩賜公園と並んで深い歴史を誇る都市公園です。すぐ目の前には東京タワーがそびえ、増上寺もすぐ近く。有名な観光名所や広い車道に囲まれる立地ではありますが、たっぷり葉を茂らせた木々のおかげか、公園の中は驚くほど閑静で落ち着きます。石組や流水の美しい弁天池に、健康遊具の設置された広場、ボランティアスタッフがお手入れしている花壇など、見どころも多い公園です。これからも東京タワーと共に、長く都民に愛されていくことでしょう。

【DATA】所在地：港区芝公園1・2・3・4
☎：03-3431-4359
アクセス：都営三田線「芝公園駅」または「御成門駅」より
徒歩約2分　OPEN：終日公開、年中無休

美しき日本庭園と共に、とうふ会席料理を楽しむ

18 東京 芝 とうふ屋うかい
Tokyo Shiba Tofuya Ukai

今なお東京のシンボルとして多くの都民に親しまれる東京タワーのお膝元にある東京 芝 とうふ屋うかいは、約2000坪の敷地を構えるとうふ会席料理店です。江戸情緒あふれる店内には広大な日本庭園が広がり、四季折々の移ろいを感じながら自家製豆腐と旬の味覚を堪能することができます。また緑に囲まれた日本らしい佇まいは、都会の喧騒を忘れさせ、心に平穏をもたらしてくれることでしょう。

【DATA】所在地：港区芝公園4-4-13　☎：03-3436-1028　アクセス：都営大江戸線「赤羽橋駅」より徒歩約5分　OPEN：平日11:45～15:00 17:00～19:30　土日祝11:00～19:30、月3回月曜・年末年始は休

東京タワーのお膝下に息づく、花と緑

19 ザ・プリンス パークタワー東京 **プリンス芝公園**
The Prince Park Tower Tokyo, Prince Shiba Park

芝公園に隣接し、東京タワーを目の前に望むホテルの屋上庭園です。花が豊富で、春と秋にはバラがとりわけ美しく、目を惹きます。開放的で広々とした芝生広場もありますので、敷物を持参してピクニックを楽しまれるのもいいでしょう。都会的な雰囲気とナチュラルな雰囲気が、一つの空間にぎゅっと凝縮されたぜいたくなスペースです。東京タワーを訪れた際には、ぜひ足を運んでみましょう。

東京タワーを足下から最頂部までご覧いただける屋上庭園です。皆さんもぜひ絶景をお楽しみください。
（ザ・プリンス パークタワー東京 野原 茉美さん）

【DATA】 所在地：港区芝公園4-8-1 ☎：03-5400-1180
アクセス：都営線「赤羽橋駅」より徒歩約3分、「芝公園駅」より徒歩約4分
OPEN：終日公開、年中無休

1979年に名勝に指定。江戸時代初期から続く庭園

20 **旧芝離宮恩賜庭園** Kyu-Shibarikyu Gardens

江戸幕府の老中 大久保忠朝の上屋敷にあった大名庭園に由来する回遊式日本庭園で、都立9庭園の1つ。浜松町駅のすぐ目の前に位置し、駅や車窓からもその姿が望めることでしょう。池の周囲にちりばめられた、名石を用いた石組や堤などは必見。江戸の庭園でいかに石が重要な立ち位置にあったのかがよくわかります。池の中島ではサギなどの水鳥がよく羽を休めており、冬になると渡りのカモたちが飛来します。近接する浜離宮恩賜庭園と一緒に、1日かけて散策してみるのもいいでしょう。

【DATA】 所在地：港区海岸1-4-1
☎：03-3434-4029
アクセス：JR「浜松町駅」北口より徒歩約1分
OPEN：入園料150円、9:00～17:00、年末年始休園

つい歩きたくなる、雑木と季節の花の遊歩道

21 日本生命浜松町クレアタワー
Hamamatsucho Crea Tower

多くのショップやレストラン、カフェなどが入る高層ビルの足下、一般道に沿う形で緑地が広がっています。限られた面積ながらも草木の種類は豊富で、季節ごとの花が咲く魅力的なスポット。殺風景と言われがちな東京の高層ビル街にあって、ほんのりと心を和ませてくれるスポットです。浜松町駅より近い恵まれた立地なので、駅に立ち寄る機会があったら覗いてみましょう。季節ごとの嬉しい発見があるかも？

【DATA】 所在地：港区浜松町2-3-1　☎：Webサイト参照
アクセス：都営線「大門駅」直結、JR「浜松町駅」より徒歩約2分
OPEN：終日公開、年中無休

木陰のめぐみを体感できるオープンスペース

22 Granpark（グランパーク）
Granpark

田町駅や三田駅から近いアクセス良好な複合ビルディング。前面に広がる緑地には、季節の花々とたっぷり葉を茂らせた樹木が寛ぎある緑地を演出します。敷地の60%を占める緑豊かなオープンスペースには、高低差のあるバリエーション豊かな植物を植えて四季折々に異なる顔を見せ、訪れるお買い物客やビジネスパーソンにとって貴重な癒しの空間となっています。緑陰のベンチでのんびりと寛ぎたくなりますね。

四季を楽しめるオープンテラスや散策路で、ベンチで寛いだり、行き交う電車を眺めるなど、憩いのひと時をお過ごし下さい。
（NTT都市開発ビルサービス 山﨑麻佑子さん）

庭園担当者から一言

【DATA】 所在地：港区芝浦3-4-1　☎：03-5441-2163
アクセス：都営線「三田駅」またはJR「田町駅」より徒歩約6分
OPEN：終日公開、年中無休

北と南、趣の異なるガーデンをじっくり堪能

23 品川シーズンテラス
Shinagawa Season Terrace

2015年春にオープン。緑地面積は品川区最大級の3.5haにおよびます。ショップやレストランの多数揃う1〜3階と直結しており、食べ物・飲み物を買って外で過ごすにはピッタリの環境です。都心真っ只中という雰囲気を感じさせないほどの、首都圏有数の開けた芝生広場と、高低木を織り交ぜた樹林が織りなす光景は、オープンスペースの域を超えてまるで公園のよう。敷物持参でお花見やピクニックを楽しむにはピッタリです。

イベント広場に広がる緑地だけでなく、ビルの壁面にも植栽を施しています。植物たちが見せる豊かな表情をお楽しみください。（NTT都市開発 宮城悠さん）

庭園担当者から一言

【DATA】 所在地：港区港南1-2-70
アクセス：各線「品川駅」より徒歩約7分
OPEN：7:00〜23:00、年末年始および法定停電日休館

ホテルの日本庭園を、サクラと共に楽しむ

㉔ グランドプリンスホテル高輪 日本庭園
Grand Prince Hotel Takanawa, Japanese garden

作庭者は、皇居新宮殿なども手掛けた楠岡悦二氏。3つの
ホテルに囲まれた約20,000㎡の日本庭園です。2〜4月にか
けて17種類・約210本のサクラが美しく咲き、観音堂や山門、
鐘楼など、歴史・芸術的に貴重な史跡（古いものでは室町時
代につくられたものも）も点在する魅力いっぱいの散策スポッ
トとなっています。サクラ以外にも、四季の花が咲く自然豊か
な雰囲気。緑濃い中に気品も感じる、都会のオアシスです。

【DATA】所在地：東京都港区高輪3-13-1　☎：03-3447-1111
アクセス：各線「品川駅」より徒歩約5分
OPEN：終日公開、年中無休

港区屈指の自然度。多様な生きものが暮らす森

㉕ 国立科学博物館附属 自然教育園 Institute for Nature Study

東京都内に公園・庭園は数多かれど、これほどまでに高い自然
度を実現した場所はそうそうないはず。コナラ・ケヤキ・ミズキ
などの落葉樹、スダジイ・カシ類・マツ類などの常緑樹、さらに
ススキやヨシの草はら、池や小川……実に多様な環境が約20
ヘクタールという敷地内に共存している自然緑地です。季節ご
との山野草が森や湿地に花を咲かせ、時には野生の哺乳類や
タカなどが姿を現すことも！人口密集地となる前のかつての東京
の自然を今なお残す、貴重な散策スポットです。

【DATA】所在地：港区白金台5-21-5　☎：03-3441-7176　アクセス：東京
メトロ・都営線「白金台駅」より徒歩約7分、JR・東急「目黒駅」より徒歩
約9分　OPEN：9〜4月は9:00〜16:30、5〜8月は9:00〜17:00
（通年入園は16:00まで）、休日は月曜・年末年始ほか（Web参照）

CHECK!

広大な緑地が広がる、日本と世界を繋ぐ新ゲートが2020年3月に誕生！

東京ワールドゲート『神谷町トラストタワー』

東京ワールドゲート 緑地空間（イメージ）

森トラスト㈱（東京都港区）が神谷町駅至近で開発を進めてきた街区『東京ワールドゲート』において、中核となる大規模複合ビル『神谷町トラストタワー』が2020年3月16日に竣工しました。これに伴って外構部分が開放され、周辺道路の混雑緩和を目的とした江戸見坂と桜田通りを結ぶ新設区道、自然を感じさせる地下鉄連絡通路も開通。この外構部分には約5,000㎡の緑地空間が含まれ、神谷町周辺でもとりわけ緑豊かなオープンスペースが。洗練されたおしゃれな水辺テラスや、300年以上の歴史を誇る神社の鎮守の森、ビオトープなどがあり、多彩な形で私たちの目を楽しませてくれることでしょう。『東京ワールドゲート』は世界と日本のゲート機能を担うことを目指し、「快適」「洗練」「多様」「交流」をキーワードに多彩なビジネスや交流機能を複合したプロジェクトであり、今後各種施設も順次開業が予定されている。

■敷地面積／16,210㎡　　■延床面積／198,774㎡
■主要用途／オフィス、カンファレンス、産業育成施設、レジデンス、ホテル、
　サービスアパートメント、外国人対応医療施設、ショップ＆レストラン、神社
■所在地／港区虎ノ門 4-1-1
■問合せ（森トラスト㈱）／ TEL：03-5511-2255

東京ワールドゲート『神谷町トラストタワー』

地域の緑アップ、活性化につながる制度ができました
「市民緑地認定制度」のご案内

文・写真＝国土交通省都市局公園緑地・景観課、（公財）都市緑化機構

市民緑地制度とは、企業や市民団体などの民間の皆さんによる広場や緑地空間の整備および地域活性化につなげる取り組みを応援するために、平成29年度に都市緑地法において創設された制度です。民間企業などが所有する緑地・広場を「公園」のように広く一般公開することで、市区町村からさまざまな支援を受けられる仕組みです。

市民緑地認定制度紹介リーフレット。国土交通省 Web サイトで公開（http://www.mlit.go.jp/toshi/park/toshi_parkgreen_tk_000069.html）

都市における緑ゆたかな公園は、人々にうるおいと安らぎを与え、また運動・レクリエーションの場や様々なイベントなどの交流の場、災害時には避難場所や復旧拠点となるなど、都市に欠かせないものです。しかしながら公園が不足する市街地において、新しく公園を整備することは自治体の財政状況から困難な場合も多いです。

一方で、近年の民間の都市開発では、積極的に緑とオープンスペースを確保し、住民やオフィスワーカーがくつろげるような場所を整備する例が増加しております。あるいは工場敷地に質の高い森を作って公開する事例や、NPOや自治会が空き地を活用してコミュニティの場所として自主的に整備する例も見られるようになりました。

このような民間によって整備・管理される公園的な空間を法律上に位置づけ、市町村が認定して支援する仕組みがあります。これを「市民緑地認定制度」といい、いま少しずつ増えています。東京でも令和元年12月に千代田区の「一号館広場」が都内初の市民緑地に認定されています。

これからは行政だけが公園を整備し、管理するのではなく、行政と民間が連携して公園的な空間をつくり、活用していくことが望まれています。快適な緑がそこで働く人の生産性を上げ、環境に配慮した緑が地域の不動産価値をも高める時代になってきました。

制度を活用し、自治体から認定を受けた緑地が使用できるロゴマーク。地域の人々が集まり、つながる「地域コミュニティのための賑わい広場」をイメージしています

これまでに市民緑地に認定された緑地

民間企業認定第1号
コクーンシティ P100掲載
（みどり法人：片倉工業株式会社）

さいたま市の商業施設。オープンスペースを地域住民の憩いの場として開放しています。県の木「ケヤキ」や市の木「サクラ」とともに、四季折々で移り変わる草花によって、訪れるたびに異なる風景に出逢えます。（2018年5月認定）

名古屋都心部の貴重な緑豊かな空間
ノリタケの森 P102掲載
（みどり法人：株式会社ノリタケカンパニーリミテド）

6,000本以上の樹木を植栽し、都市の中に自然を創出しました。野鳥や昆虫など野生の生きものが住みやすい環境を整えた、都会の"憩いの場"です。アートを身近に楽しむ場、災害発生時には一時避難場所として開放しています。（2018年12月認定）

花と緑に囲まれた都心部の憩い空間
一号館広場
（丸の内ブリックスクエア） P50掲載
（みどり法人：三菱地所株式会社）

皇居と東京駅の間に位置する丸の内地区にある広場です。数種のバラをはじめ、四季折々の表情を見せる多彩な植栽、広場を特徴づける緑の丸柱、噴水等の水景施設が、周辺就業者や来街者に親しまれる都心部の貴重な憩いの空間を生み出しています。（2019年12月認定）

全国に広がる、その他の認定緑地例

左／かしわ路地裏市民緑地（千葉県柏市）中／ミズノスポーツプラザ神戸和田岬市民緑地（兵庫県神戸市）右／ソシエルみどりのファームプレイス（茨城県つくば市）

★このほか、約60の自治体で制度の活用に向けて検討中

キーワードで巡る港区エリア

（画像出典 ＊1＝国立国会図書館デジタルアーカイブス、＊2＝緑と水の市民カレッジ 東京グリーンアーカイブス）

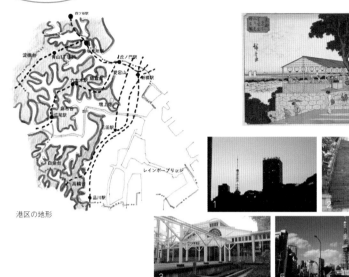

東都名所：愛宕山からの見晴らし（＊1）

港区の地形

1／東京タワー夜景　2／愛宕山・神社階段　3／旧新橋停車場・駅舎　4／増上寺山門　5／東京タワー　6／赤坂見附外堀沿いのサクラ＊2　7／急峻な鳥居坂

　このエリアのタウンスケープを読み解くキーワードは「**大使館**」「**坂と山**」「**東京タワー**」「**芝公園・増上寺**」「**新橋停車場**」です。

　港区エリアは大使館が多い街です。江戸城と横浜港に近く、幕末から外国の公使館が立地しうる環境を備えていました。高輪台の坂道の多い街を歩くと、忠臣蔵の泉岳寺が。近くには幕末にイギリスの公使館が置かれた東禅寺があり、坂道を上ると白金台にある八芳園、自然教育園、東京都庭園美術館を巡ります。ここから北へ台地を下り、渋谷川（古川）を横断して、入り組んだ地形を持つ麻布・青山・赤坂・飯倉台へ。このエリアは巨大名屋敷が多く、明治維新後、屋敷の跡地には外国の大使館・領事館が多く置かれていました。イタリア大使館では今でも、元松山藩松平家の中屋敷の庭園が保全継承されています。麻布台の頂部にあった笠間藩浅野家の下屋敷跡地は、現在では有栖川宮記念公園、都立中央図書館となっています。ここから六本木ヒルズの方向へ坂を下り、麻布十番へ下り、大江戸線の麻布十番駅の左手にある急峻な鳥居坂を上ると、右手にシンガポール大使館、左手には国際文化会館の建物があります。ここは元多度津藩の江戸屋敷で、明治に入ってから井上馨の屋敷となります。その後、三菱の岩崎小弥太の邸宅となり、庭師 七代目小川治兵衛の数少ない東京での作庭を鑑賞することができます。さらにここから西へ青山霊園を目指すと、東京ミッドタウン、檜町公園（萩藩下屋敷の再整備）、サントリー美術館、建築家 黒川紀章設計の国立新美術館など近年再開発された街並みが続きます。

　JR新橋駅方向へ戻り、汐留シオサイトには明治5年（1872）に日本初の鉄道が新橋と横浜間に開業。当時の新橋停車場の駅舎の外観を再現した「旧新橋停車場 鉄道歴史展示室」があり、往時が偲べます。ここからは浜離宮恩賜庭園、旧芝離宮恩賜庭園も近く、JR浜松町駅から虎ノ門方向へ歩くと前方に小高い山が見えてきます。徳川家康が関ヶ原の戦勝を祈願した、標高26mの愛宕山です。ここには江戸市民が火の元安全を祈願した愛宕神社が建立されています。江戸の展望地である愛宕山には、多くの外国人が訪れています。中でも幕末江戸を訪れたイギリスのプラントハンター ロバート・フォーチュンは『幕末日本探訪記・江戸と北京』で遠く房総半島、江戸湾の船、庭園都市江戸の眺望を書き残していますが、現在は高層ビルに囲まれて江戸・東京の街を望むことはできません。南側には明治6年（1873年）、上野・浅草と同時に公園に指定された芝公園と、徳川家の菩提寺であり江戸城の裏鬼門と位置づけられた増上寺の山門が目を惹きます。昭和33年（1958年）に完成した高さ333mの東京タワーがここに隣接し、山の手のランドマークとしていまだ健在です。

エリア別に東京の"緑力"を探す
花と緑のまち歩き

3

新宿区
中野区
杉並区

花と緑の
まち歩き 3

杉並区
中野区
新宿区

高田馬場駅
新大久保駅
中央線
阿佐ヶ谷駅　中野駅
西荻窪駅　荻窪駅　高円寺駅　東中野駅
山手線
久我山駅
四谷駅
浜田山駅
新宿駅　信濃町駅
京王井の頭線
永福町駅
千駄ヶ谷駅

「人混み」だけじゃない「緑」も魅力的な「新宿」！

　いつも人の絶えることのない新宿から、中央線で西へ。「住みたい街ランキング」でも上位常連の、若者が多く集うサブカルチャーの中心「中野」、活気のある商店街に美しいケヤキ並木がマッチする街「阿佐ヶ谷」などが沿線上にあります。

　3つの区にまたがって、駅からそれほど遠くない所に、驚くほど豊かな自然があるのがこのエリアの特徴。屋上庭園や御苑の芝生広場など、開放的な風景の中でぼんやりと過ごしていると、自然とココロがふわっと軽くなります。

　広々とした芝生広場と、桜や紅葉などの雑木林が織りなす安らぎの空間 アイ・ガーデン。昼と夜で違った表情を見せる英国式庭園 屋上庭園 Q-COURT。四季折々の彩りや香り、いきものとのふれあいも楽しめる四季の庭・水辺の庭。地域のコミュニケーション空間 ふくにわ。いずれも東京を代表する快適な屋上庭園です。

　日頃の疲れを癒すのにもピッタリな緑のスポット「都市のオアシス」、新しい一面にきっとココロ躍ります。

毎年冬になると新宿御苑にやってくる、人気者のオシドリ。この他にも水鳥から森の小鳥まで、色々な野鳥を見かけます。

その広さ58.3ha。日本の風景式庭園の名作

① 新宿御苑 *Shinjuku Gyoen*

写真提供（左右）：環境省新宿御苑管理事務所

明治39年に旧大名屋敷、農事試験場を経て、皇室庭園へ転換。戦後は国民公園となり、今では広く国内外の人々に愛される名所となっています。多くの昆虫や野鳥の暮らす雑木林『母と子の森』から、プラタナス並木とバラ花壇が美しい整形式庭園、オシドリなどの水鳥が多く飛来する広い池を中心とした日本庭園など、さまざまな見所が散りばめられています。また、苑内のレストランでは「内藤とうがらし」などの江戸時代より栽培される野菜を用いた食事が楽しめます。

【DATA】 所在地：新宿区内藤町11　☎：03-3350-0151
アクセス：東京メトロ丸の内線「新宿御苑前駅」より徒歩約5分、
各線「新宿駅」より徒歩約10分ほか　　OPEN：9:00～16:00
（閉園16:30）ほか（月により異なる）、月曜・年末年始休園
★禁止事項：酒類持込禁止、遊具類使用禁止（こども広場除く）

武蔵野の山野草たちが四季折々に咲く散策路

② 玉川上水・内藤新宿分水遊歩道

Tamagawa josui and Naito Shinjuku Waterworks Promenade

玉川上水の歴史的価値を今に伝える約540メートルの遊歩道で、傍らには地下水を利用した水路が整備されています。木の葉が日陰をつくる遊歩道には、季節ごとにかつての関東地方によく見られた山野草（主に日陰を好むもの）が花を咲かせ、御苑とはまた違うしっとりとした雰囲気を醸し出します。遊歩道の所々に玉川上水の歴史や植物についての解説板が設置されていますので、ぜひご参照ください。

【DATA】 所在地：新宿区内藤町11　☎：03-5273-3915
アクセス：東京メトロ「新宿御苑前駅」より徒歩約5分、各線「新宿駅」より
徒歩約10分ほか　　OPEN：新宿御苑の開園期間・開園時間に準ずる

都市の記憶と美しい四季の移ろいが楽しめる

③ 伊勢丹新宿本店 アイ・ガーデン

1933年の開業当初、子ども遊具が花形を務める「かつてのデパートの屋上」から一転、2006年に「都会の喧騒の中でのアーバンオアシス」に生まれ変わった「アイ・ガーデン」。四季折々に絶えず花が咲く3つの趣の異なる庭があり、春の訪れをいち早く伝えるトウカイザクラ、可憐な白花で野趣を感じるヤマボウシ、ホウライチクやススキなど風にそよぐ植物といった昔から里山で見かける素朴な草木が楽しめます。

（総務・業務ディビジョン 名取健一さん）

庭園担当者 あら一言

【DATA】 所在地：新宿区新宿3-14-1 ☎：03-3352-111 アクセス：各線「新宿駅」より徒歩約4分、東京メトロ「新宿三丁目駅」より徒歩約1分 OPEN：3～10月は19時閉園、11～2月は18時閉園、休園日は店舗休日に準ずる

イギリス風の整形式庭園でエレガントに過ごす

④ 新宿マルイ本館 屋上庭園 Q-COURT

色々な素材を使った広いベンチや、つる植物の絡んだオベリスクなどの配置されている、スタイリッシュなデザインが特徴の屋上庭園です。噴水のある「早春の庭」を始めとして、「木漏れ日の庭」「門出の庭」「実りの庭」そして「薔薇の庭」など、コンセプトの異なる庭が共存しているのが特徴。1つの屋上内で色々なガーデンスタイルを楽しめるつくりとなっています。新宿の高層ビル群を望む見晴らしのよさも魅力です。

（Nバッグ担当 齋藤誠二さん）

庭園担当者 あら一言

【DATA】 所在地：新宿区新宿3-30-13 ☎：03-3354-0101 アクセス：各線「新宿駅」より徒歩約3分、東京メトロ「新宿三丁目駅」より徒歩約1分 OPEN：11:00～20:00、店舗休日に準ずる

緑あふれる東新宿のランドマーク

⑤ 新宿イーストサイドスクエア

都営大江戸線および副都心線「東新宿駅」に直結した複合ビルで、広大な敷地の約40％が緑に覆われています。高低差のある敷地には、芝生広場あり、植樹あり、草木を植えたおしゃれなベンチあり……実に多様性に満ちた緑化を試みており、まるで1つの公園のような空間。石造りのモニュメントや曲線美を活かした遊歩道などもお洒落です。お昼休みや、お買物のついでにひと休みするにはピッタリ！

【DATA】 所在地：新宿区新宿6-27-30 アクセス：各線「東新宿駅」直結、「新宿三丁目駅」より徒歩約6分 OPEN：終日公開、年中無休

新宿区立公園としては最大。高層ビル群のオアシス

6 新宿中央公園
しんじゅくちゅうおうこうえん

都庁ビルを始めとした高層ビル群がすぐ目の前という、まさに都市公園といった趣の公園。高木が並ぶ緑陰豊かな園内には『ジャブジャブ池』や『新宿ナイアガラの滝』、水田のあるビオトープなどの"水景"も取り入れられており、昆虫やカエルなどの小さな生きものの暮らす貴重なスポットとなっています。園内北西に位置する『エコギャラリー新宿』では主に新宿の環境に関する展示などが行われているほか、『情報コーナー』もあり、情報収集や休憩に最適です。

【DATA】 所在地：新宿区西新宿2-11　☎：03-3342-4509
アクセス：都営線「都庁前駅」A5出口より徒歩約1分、東京メトロ丸の内線「西新宿駅」より徒歩約5分、各線「新宿駅」西口より徒歩約10分　OPEN：終日公開、年中無休

厳かな鎮守の森の雰囲気を、今もお新宿で守り続ける

7 東京新宿鎮座 花園神社
はなぞのじんじゃ

新宿ゴールデン街に隣接する花園神社は、江戸幕府が開かれる前より新宿の総鎮守として位置付けられてきた歴史ある神社です。繁華街に囲まれながら静かでどこか常に落ち着いた雰囲気を有し、その境内はお祭りの会場などとして地域の皆さんに愛され、今もお新宿に欠かせない"集いの場"となっています。また、クスノキやケヤキなどの大木が聳え、新宿区緑の文化財に指定されて保護されているものもあります。

【DATA】 所在地：新宿区新宿5-17-3　☎：03-3209-5265
アクセス：各線「新宿三丁目駅」E2出口目の前、各線「新宿駅」東口より徒歩約7分　OPEN：終日公開、年中無休

2つのエリアに分かれる公園。緑豊かな箱根山は必見

⑧ 戸山公園

戸山公園は、山手線内で最も標高の高い箱根山（約44.6メートル）を中心として森の広がる箱根山エリアと、さまざまな広場を有する開放的な大久保エリアの2つに分かれ、それぞれが明治通りを隔てて近接する形となっています。箱根山は江戸時代に人工的につくられた山であり、陸軍戸山学校用地を経て戦後に公園用地へと転換されました。山頂からは西新宿の高層ビル群を望むことができます。

【DATA】 所在地：新宿区戸山1・2・3、新宿区大久保3　☎：03-3200-1702
アクセス：JR「新大久保駅」または各線「高田馬場駅」より大久保エリアまで徒歩約10分 ほか　　OPEN：終日、年中無休

東京屈指のイチョウ並木

⑨ 明治神宮外苑

明治神宮野球場を始めとしてゴルフ場、アイススケート場、テニスコートなどを有する明治神宮外苑。緑も豊富ですが、何より青山通り口から外苑中央広場円周道路に至る長いイチョウ並木が圧巻です。秋の紅葉シーズンにはとりわけ多くの人が集まりますが、早春期にはイチョウの足下にクリスマスローズが開花し、これもまた魅力的です。レストランやカフェなども豊富なので、散策やスポーツの後にどうぞ!

所在地：新宿区霞ヶ丘町1-1　☎：03-3401-0312
アクセス：東京メトロ銀座線「外苑前駅」より徒歩約5分（イチョウ並木）ほか
OPEN：終日公開、年中無休

都市における新しい森づくり

⑩ 大日本印刷 市谷の杜

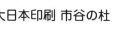

大日本印刷株式会社（DNP）は、東京・市谷地区の再開発に伴い、地上部分に広大な緑地を創出していく「市谷の杜」の整備を進めています。イメージは、武蔵野の雑木林。関東に自生する落葉広葉樹をメインとして、所々に常緑樹も織り交ぜた多様性に満ちた空間で……。専門家だけでなく、従業員の皆さんも継続して緑地をチェックし、連携しながら命に満ちた環境を守っています。

（市谷サイトマネジメントセンター 上條芳樹さん）

【DATA】 所在地：新宿区市谷加賀町1-1-1　☎：03-3266-2111
アクセス：各線「市ヶ谷駅」より徒歩約9分、都営大江戸線「牛込柳町駅」より徒歩約10分　　OPEN：7:00〜20:00

豊かな緑とせせらぎで、夏もすずしげに…

11 中野マルイ **四季の庭・水辺の庭**
Nakano Marui Garden All garden waterside for waterside nakano

店舗の2階と住宅街に直結する、深い緑と小川のプロムナードです。最近首都圏ではなかなか目にすることのなくなった、地元に昔から生える在来種の樹木や草花をたっぷりと植栽しており、鳥や昆虫などの小さな生きものも多く暮らしています。駅への通り道として、あるいはショッピング時の休憩スポットとして、地元の人々に愛され続ける潤いと癒しに満ちた空間です。イトトンボやチョウ、メジロ（右写真）などの鳥の姿もよく見られます。

庭園担当者から一言

（雑貨統合ショップ 飯塚由紀乃さん）

【DATA】 所在地：中野区中野3-34-28　☎：03-3382-0101
アクセス：各線「中野駅」より徒歩約1分
OPEN：10:30〜20:00、店舗休日に準ずる

緑地面積は約3ha。賑わいの絶えない広大な憩いの場

12 中野セントラルパーク
NAKANO CENTRAL PARK

大きく成長した木々の下にウッドデッキとベンチが並ぶ「パークアベニュー」は、平日には多くのオフィスワーカーが、休日には家族連れが訪れ、思い思いの時間を過ごします。夏季はビアガーデンのほか、週末には多くのイベントが開催され、広大な芝生ひろばからなる「四季の森公園」も隣接しており、ともに人気の憩いの場です。パークアベニューはレストラン・カフェに加え、平日昼頃はキッチンカーも並び、ランチタイムに最適。

【DATA】 所在地：中野区中野4-10-2　　アクセス：各線「中野駅」北口より徒歩約5分　　OPEN：店舗の営業時間等については、公式Webサイト（https://www.nakano-centralpark.jp/）をご確認ください。

季節の花咲く癒しの屋上が、「福」を呼ぶ

13 京王リトナード永福町 **ふくにわ**
Keio Litonard Fukucho FUKUNIWA

永福町駅の駅ビル屋上の庭園には、バラのアーチやサクラの木などを軸に、季節の移り変わりを知らせる植物がたくさん。2010年度には環境省主催の「『みどり香るまちづくり』企画コンテスト」に入賞しました。夜景撮影にも最適のスポット。天気の良い時には、遥か遠方に富士山の姿を望むこともできます。定期的にイベントも開催されているので、足を運ぶ際にはホームページなどで事前にチェックしておくといいかも？

庭園担当者から一言

（SC営業部 廣 直弥さん）

【DATA】 所在地：杉並区永福2-60-31
アクセス：京王井の頭線「永福町駅」より徒歩約2分
OPEN：8:00〜19:00、年中無休

キーワードで巡る新宿、中野、杉並区エリア

（画像出典／＊1＝国立国会図書館デジタルアーカイブス、＊2＝緑と水の市民カレッジ 東京グリーンアーカイブス）

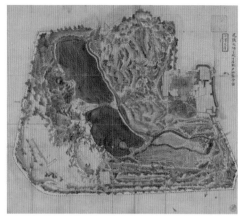

戸山荘全図（寛政年間）：東京ドームの約10個分の尾張徳川家下屋敷（＊1）

大久保のつつじ：
江戸名所図会（＊1）

中野の桃園：
江戸名所図会（＊1）

左／1970年代の善福寺公園
（＊2） 上／神楽坂：江戸
の町の名前が残る街

左上／西口高層ビル群と都庁 左下／新宿御
苑・大正期（＊2） 上／新宿御苑の森と、杜
のスタジアム（2019年）

　このエリアのタウンスケープを読み解くキーワードは「**湧水**」「**神田上水**」「**街道**」「**武蔵野**」「**杜のスタジアム**」です。

　かつてこのエリアは、江戸城の西「城西」と呼ばれ、江戸に飲み水を送る豊かな湧水を持っていました。明治22年（1889年）に甲武鉄道（JR中央線）が武蔵野を一直線に立川まで開通しました。この立川の西の奥、青梅を扇頂とする扇状地「武蔵野台地」の標高50m付近の杉並区西側あたりに、湧水がわく井の頭池、善福寺池、妙正寺池があります。これらの湧水は「神田上水（神田川）」として江戸城北側エリアへ飲み水を送っていました。

　杉並区の名は江戸の初期、青梅街道筋に境界の印として杉の並木が植えられていたことに由来します。この青梅街道南側の善福寺公園から川沿いに善福寺緑地を進み、和田堀公園と杉並区の郷土博物館をたどると、地域の歴史・風景を伺うことができます。

　北に進み中野駅方向へ。この辺りは、第5代将軍徳川綱吉の時代に生類憐れみの令で「お囲い犬屋敷」が設けられていましたが、第8代将軍徳川吉宗は鷹狩りの場とし、ここ中野に桃を植えました。この跡地は陸軍等が使用し、現在はオフィスビル、大学、四季の森公園が整備されて新しい街へと生まれ変わりました。

　さて、中野から新宿へ。新宿は巨大なターミナル新宿駅を拠点に淀橋台の上に発達した街です。江戸の名残を留める町名が多い神楽坂付近に鷹匠町、箪笥町が。近くの大久保百人町は江戸城警護の鉄砲百人組の御家人たちがツツジを栽培し、名所にもなっていました。その一部は日比谷公園へ移植されています。北側には江戸期の大名屋敷で最も広大な尾張徳川家下屋敷（約45ha）があり、屋敷内には小田原の宿場が原寸大で再現され「戸山荘」とも呼ばれていました。その名残が都立戸山公園にある山手線内で最も高い標高44.6mの人工の山 箱根山です。

　五街道の一つ「甲州街道」は、西国からの防御上重要な街道でした。当時は高井戸が第一の宿場でしたが、半蔵門から遠いという理由で「甲州街道」と「青梅街道」（江戸城の建設資材、主に石灰を青梅から運ぶ街道）が交差する場所に配置された内藤家にちなみ、内藤新宿「新しい宿場：新宿」が生まれました。この内藤家の下屋敷が現在の新宿御苑で、この池からの湧水が渋谷川へ流れています。西口は、昭和40年（1965年）に淀橋浄水場の廃止とともに開発が始まり、昭和46年（1971年）には47階建ての京王プラザホテル本館が開業、その後高さ200mを超えるビルが次々誕生し、東京都庁が平成3年（1991年）に丸の内から移転して超高層ビル街へと変貌してきました。

　2019年11月30日、新宿御苑の南側に「杜のスタジアム」をコンセプトにしたTOKYO2020オリンピック・パラリンピックのメインスタジアム 新国立競技場が完成しました。

エリア別に東京の“緑力”を探す
花と緑のまち歩き

4

千代田区

花と緑の まち歩き 4

千代田区

1. 東京ガーデンテラス紀尾井町
2. 東急プラザ赤坂
3. アイガーデンテラス
4. ワテラス／千代田区立淡路公園
5. 三井住友海上火災保険株式会社 駿河台ビル 屋上庭園
6. 神保町三井ビルディング
7. テラススクエア
8. 錦町トラッドスクエア
9. 住友商事竹橋ビル
10. 大手町川端緑道
11. 日経ビル・JAビル・経団連会館 スカイガーデン
12. 北の丸公園
13. 大手町ホトリア
14. 大手町ファーストスクエア
15. 大手町タワー 大手町の森
16. 日本生命丸の内ガーデンタワー
17. 皇居東御苑
18. アーバンネット神田ビル
19. KITTE ガーデン
20. 丸の内仲通り
21. 丸の内ブリックスクエア
22. 丸の内トラストシティ
23. 東京駅八重洲口駅前広場
24. 東京ミッドタウン日比谷
25. 飯野ビルディング
26. 日比谷パークフロント
27. 内幸町広場
28. 日比谷公園

首都 東京の玄関口は、街も緑も"多様"なエリア。 高層ビル群の間に広がる都会派ガーデンを歩こう！

　毎日、日本中に何百万人もの人を運ぶ、東京の中心 千代田区。ここは歴史と文化、洗練と親しみの混在する多様な街です。日本経済の中心地として数々の企業や金融機関が集まる丸の内。旧江戸城の面影を残し、四季折々の自然を感じることのできる皇居。文化の発信地でもあり、緑やアートスポットが点在する日比谷など、それぞれのスポットによって大きく特色が異なります。
　それぞれの街ごとに歴史を活かした再開発が進められ、千代田区は今、新たな価値と魅力を備えています。
　弁慶濠の石垣に歴史を感じさせる遺構と近代的なパブリックアートが楽しめる東京ガーデンテラス紀尾井町。和・輪・環の3つの"WA"をコンセプトにデザインされたワテラス。日本橋川に面した緑豊かな親水空間 大手町川端緑道。そして屋上緑化の先駆けともいえる駿河台ビル屋上庭園など、見所満載で、緑も盛りだくさん。本書を片手に散策してみると、いつもと違った気づきや出逢いがきっとあるはず。さあ、街歩きに出かけましょう！

なんと！大手町の森にオオタカが現れました。小鳥や小動物を捕食する猛禽類で、まさに健全な自然環境を象徴する生きものです。

緑地に隠れた、史跡と現代アートを探してみよう

① 東京ガーデンテラス紀尾井町
Tokyo Garden Terrace Kioicho

江戸時代に紀伊徳川家、尾張徳川家、彦根井伊家が屋敷を構えた土地に、国際都市 東京の中心を担う施設ができました。弁慶濠の石垣など歴史を感じさせる遺構が今も残る一方で、オープンスペースのあちこちに配置された近代的なパブリックアートも見逃せません。またビオトープもつくられており、ホタルの育成など、生物多様性の保全と再生を進めています。

庭園担当者から一言

鳥のさえずりが聞こえるエリア、バラと花壇で華やかに演出されたエリア、水面に映るサクラのエリア。緑豊かな四季を感じていただけます。

【DATA】 所在地：千代田区紀尾井町1-2 ほか　☎：03-3288-5500
アクセス：東京メトロ「永田町駅」9a出口直結、東京メトロ「赤坂見附駅」
D出口より徒歩約1分

テラスとベンチに植物を取り入れたオープンコリドール

② 東急プラザ赤坂
Tokyu Plaza Akasaka

赤坂見附駅の出口よりほど近い商業施設。2階のテラスにさまざまな形で植物を取り入れ、おしゃれな雰囲気を演出しています。季節の花も魅力的ですが、複数の草木を組み合わせることで、花のない時期でも葉の色や形でコントラストを生み出し、通り一辺倒ではない色彩豊かなテラスになっているのが特長。シンプルなデザインのベンチにも、壁面緑化の技術を取り入れて美しく彩っています。

【DATA】 所在地：千代田区永田町2-14-3　☎：03-3580-1031
アクセス：東京メトロ「赤坂見附駅」より徒歩約1分
OPEN：11:00～20:00 ※一部店舗は異なる

千鳥ヶ淵
（絵＝ちよだマーチング委員会）

階段状に連なるテラスガーデンが、建物に調和

③ アイガーデンテラス
I-Garden Teracce

サルスベリやケイトウなどの美しい花の咲く植物を、階段状のテラスに植栽した商業施設。お洒落なビルの佇まいと相俟って、下から見上げると見事な美しさです。さらに奥へと歩を進めると、かつては川が流れていたという『平川の径』が。こちらはクスノキやヤマモミジなどの高木が両サイドに並び、林道を思わせるしっとりとした雰囲気です。ヤブランなどの日陰を好む下草も多く植えられています。

【DATA】所在地：千代田区飯田橋3-10-9　☎：03-5226-7210
アクセス：JR「水道橋駅」より徒歩約4分、「飯田橋駅」より徒歩約6分
OPEN：終日公開、年中無休（店舗営業時間は7:00～23:00）

傾斜を活かした森と、賑わいの芝生広場

④ ワテラス／千代田区立淡路公園
WATERRAS ／ Awaji Park

160メートルを超す高層ビル「ワテラスタワー」の足下に広がる、緑と水の憩いの場。エントランスや芝生広場はイベント会場としてよく利用され、スポーツイベントやマルシェなどが開催されると大いに賑わいます。対照的に、緩やかな傾斜地に広がる森は自然風で落ち着いた雰囲気、春にはツツジやシャガが、夏の終わりにはキキョウやカワラナデシコなどの花と、サルスベリの並木が目を惹きます。

【DATA】所在地：千代田区神田淡路町2-101、105　☎：03-3526-3555
アクセス：東京メトロ「新御茶ノ水駅」より徒歩約2分
OPEN：終日公開、年中無休

植物に包まれ、季節の野鳥も訪れる屋上の緑地

⑤ 三井住友海上火災保険株式会社 駿河台ビル 屋上庭園
Rooftop garden of Surugadai Building

1984年に竣工した、駿河台ビルの低階層にある屋上庭園。「ひとにもいきものにもやさしい」周辺環境との調和を目指した緑地です。緑地内に設置したバードバスやビオトープでは、野鳥が水浴びをする姿がモニタリングカメラで撮影されています。ビルの高層部には都内では珍しいヒメアマツバメが多数営巣し、上空を元気に飛び回っている姿が一年中観察できます。都心で自然の恵みを体験することができる場になっています。

ガラス張りのECOM駿河台からは、四季折々の前庭の風景が楽しめます。春は桜のリレー。夏は鮮やかな緑。秋は紅葉。冬は静けさ。

庭園担当者から一言

【DATA】所在地：千代田区神田駿河台3-9、3-11-1　☎：03-3259-3135　アクセス：JR「御茶ノ水駅」
より徒歩約5分、東京メトロ「新御茶ノ水駅」より徒歩約5分、都営地下鉄「小川町駅」より徒歩約8分
OPEN：10:00～17:00、土日祝休

噴水と花壇のシティーガーデンでコーヒータイム

⑥ 神保町三井ビルディング
Jinbocho Mitsui Building

緑化だけにとどまらず、花を取り入れて彩り豊かな広場を実現しています。曲線美を活かした噴水と四季折々の花が咲く花壇が織りなす風景は、まさしく"都市の庭"と呼ぶにふさわしいスポット。コーヒーショップもあるので、のんびりひと休みしたいものです。秋田県角館の旧家より譲り受けた樹齢190年以上の紅枝垂桜が春に開花するほか、夏にはアジサイやユリ、ギボウシなどが開花し、一際華やぎます。

【DATA】 所在地：千代田区神田神保町1-105 ☎：03-3233-4100
アクセス：各線「神保町駅」より徒歩約1分、東京メトロ「竹橋駅」より徒歩約5分　OPEN：終日公開、年中無休

流水と深い緑につつまれる、公園のような広場

⑦ テラススクエア
Terrace Square

緑のある広場は東京にも数多かれど、これほどまでに草木に恵まれ、都会の喧騒を忘れられるスポットも少ないのではないでしょうか。涼しげな水の流れが絶えることのない広場は、日本在来の草木を中心とした雑木林のような雰囲気。バードバスなども設置されており、人にも小さな生きものたちにも嬉しいオアシスです。所々に見られる石造りのモニュメントも、落ち着いた佇まいによく合っています。ベンチもたくさん！

【DATA】 所在地：千代田区神田錦町3-22 ☎：03-5282-2341
アクセス：各線「神保町駅」より徒歩約2分、東京メトロ「竹橋駅」より徒歩約5分　OPEN：終日公開、年中無休

カラフルな壁面緑化に魅せられるオープンテラス

⑧ 錦町トラッドスクエア
Nishikicho TRAD SQUARE

木を囲むおしゃれなテーブルなどが目を惹くテラス席で一際存在感を発揮しているのが、横に長く広がる大型壁面緑化。さまざまな色の葉や花を組み合わせてデザインされた花と緑の"壁"は、都会的かつ自然な雰囲気を醸し出しています。また南側には池があり、和風なせせらぎの中には錦鯉の泳ぐ姿も！ テラススクエアや神保町三井ビルディングに隣接し、ランチタイムやティータイムに最適の名スポットです。

【DATA】 所在地：千代田区神田錦町3-20
アクセス：各線「神保町駅」より徒歩約3分
OPEN：終日公開、年中無休

自然な雰囲気とデザインを両立させた都会派ガーデン

⑨ 住友商事竹橋ビル
Sumitomo Corporation Takebashi Bld.

シンボルツリーのサルスベリを中心として、植えられている樹木は実に100種類以上。花壇に季節の花が植えられており、四季を通じて見る人を飽きさせないオープンスペースです。サルスベリが最盛期を迎える夏場には、花の蜜を求めてチョウなどの昆虫が訪れることもしばしば。都市緑化の中でも特に優れた取り組みとして、過去には「東京都緑の大賞 既開発地の緑化部門 部門賞」を受賞しています。

【DATA】 所在地：千代田区一ツ橋1-2-2
アクセス：東京メトロ東西線「竹橋駅」より徒歩約1分、各線「神保町駅」より徒歩約5分　　OPEN：終日公開、年中無休

都心の川沿いを緑が彩る散策ロード

⑩ 大手町川端緑道
Otemachi Riverside Promenade

首都高速道路の高架下を流れる日本橋川に沿って、約780メートルにわたってのびる遊歩道です。道幅は約12メートルと広く、狭苦しさを感じさせない緑道にはベンチも多数設置されており、散策時の休憩には最適です。春にはシンボルツリーともいえるソメイヨシノが花を咲かせ、彩りを添えます。国際的なビジネス街である大手町において、水と緑の潤いを間近に感じられる貴重なスポットです。

【DATA】 所在地：千代田区大手町1-9
アクセス：各線「大手町駅」より徒歩約5分
OPEN：終日公開、年中無休

ビルの屋上に、田んぼと小川のせせらぎが！

⑪ 日経ビル・JAビル・経団連会館 スカイガーデン
Sky Garden

雑木林の合間を縫うように、清らかな小川が流れ、田んぼもある……高層ビルの谷間でありながら、まるで武蔵野の里山風景を縮小して再現したかのような屋上庭園です。ヒメリンゴやキンカンといった食用となる実のなる木のほか、キキョウやオカトラノオなど、野山に咲く山野草も豊富。里山風の雰囲気に惹かれるのか、トンボや野鳥なども多く訪れます。都会の喧騒から離れてのんびりできる空間です。

【DATA】 所在地：千代田区大手町1-3-1、2、7　☎：03-5218-1002
アクセス：各線「大手町駅」より徒歩約2分、東京メトロ「竹橋駅」より徒歩約3分　　OPEN：平日10:00〜16:00開園（雨天閉鎖）

皇居に近接する、森と芝生広場の国民公園

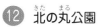 **北の丸公園** Kitanomaru Garden

その名の通り、かつては江戸城の北の丸があった場所で、今では雑木林と開放的な芝生広場、水鳥の訪れる池があるのどかな公園となっています。春にはお花見スポットとして有名ですが、冬の雑木林を訪れるシロハラ（右写真）などの野鳥や、春の林床に咲くオドリコソウの群落（上写真）、そしてヤマモミジなどの紅葉……かつての里山で目にしたような光景が大切に守り育てられており、四季を通じて見所がある魅力的な空間です。日本武道館や科学技術館などもこの公園内にあります。

【DATA】　所在地：千代田区北の丸公園1-1　☎：03-3211-7878
　　　　　アクセス：東京メトロ「九段下駅」より徒歩約7分ほか
　　　　　OPEN：常時開放　※22:00消灯　年中無休　※国家行事等に
　　　　　伴う特別警備のため、一般の利用が規制される日があります。

皇居外苑に隣接する、水と緑の"うるおい広場"

 大手町ホトリア
OTEMACHI HOTORIA

自然公園さながらのナチュラルな雰囲気を表現しながら、高いデザイン性も感じさせる大手町ホトリアのオープンスペース。車道を1本挟んだ先に皇居外苑のお堀があり、外苑の豊かな緑とつながりを持ったクヌギやクスノキなどの樹木が目を惹きます。野鳥が訪れることも想定して巣箱を設置しているほか、生きもののエサとなるような植物を多く植えて生物多様性にも配慮した広場となっています。

【DATA】　所在地：千代田区大手町1-1-1　☎：03-3287-6200
　　　　　アクセス：各線「大手町駅」より徒歩約2分
　　　　　OPEN：終日公開、年中無休

映画などのイベントも開催されるサンクンガーデン

14 大手町ファーストスクエア
Otemachi First Square

複合オフィスビル「大手町ファーストスクエア」の公開空地のリノベーションプロジェクトです。約18種類の在来種の植物を植栽し、自然の風合いを感じるウッドデッキや既存の水盤と組み合わせることで、人々が集まる心地のいい「都市の庭」を実現しています。また、リニューアルのテーマに合わせた「ナイトシネマ」や「花いけイベント」を開催するなど、様々なアクティビティが拡がる空間へと変わっています。

各所に隠れているプレートには植物と人との関わり合いが書かれています。自分の好きな場所に座って、植物を探してみてください。
庭園担当者から一言
(株)パーク・コーポレーション
parkERs 辻永岳史さん)

【DATA】 所在地：千代田区大手町1-5-1　☎：03-3217-0800
アクセス：各線「大手町駅」C8,C11出口直結、JR「東京駅」より徒歩約5分　OPEN：終日公開

東京の中心街に本格的な"森"が生まれた

15 大手町タワー 大手町の森
otemachi no mori

日本の中枢を担う東京の大手町に、豊かな緑を湛える深い森が！一般的なオープンスペース緑化とは一線を画し、人工的な雰囲気を一切感じさせない雑木の森が広がっています。緑地の面積は約3,600㎡。春、足元に目を向ければ、そこにはカタクリやイカリソウといった可憐な花々が……。夏にはたっぷり葉を茂らせた高木が日の光を遮り、快適さをもたらしてくれます。また、室内から森を眺められるカフェもあります。

人と自然が気持ち良く共存できる新たな形の都市緑地です。癒しと安らぎを纏い、様々な動植物が息づいています。ぜひお立ち寄りいただき、この特別な空間を楽しんでください。
庭園担当者から一言
(東京建物 後藤翔太さん)

【DATA】 所在地：千代田区大手町1-5-5
アクセス：各線「大手町駅」より徒歩約1分、各線「東京駅」より徒歩約4分
OPEN：終日公開、年中無休

お堀が目の前。丸の内の美しい親水プロムナード

16 日本生命丸の内ガーデンタワー
Marunouchi Garden Tower

20店舗におよぶショップ&レストランがテナントに入る、皇居のお堀に隣接したビル。遊歩道にはたくさんの樹木が植えられ、春にはサクラが、夏にはサルスベリが花を咲かせるほか、下草も豊富で季節ごとに色々な花を楽しめます。テラス席を設けているレストランもあり、水辺の風景と共にお食事をいただけるラグジュアリーな雰囲気の空間です。大手町駅に直結するアクセスの良さもGood。

【DATA】 所在地：千代田区丸の内1-1-3　☎：Webサイト参照
アクセス：各線「大手町駅」直結
OPEN：終日公開、年中無休

由緒正しき庭園は、生きものの楽園

17 **皇居東御苑** こうきょひがし The East Gardens of the Imperial Palace

かつての江戸城の本丸・二の丸・三の丸の一部を、宮殿造営にあわせて皇居附属の庭園として整備した皇居東御苑。1968年より一般公開（入園無料）されており、令和元年には年間入園者数2,238,233人と過去最高を記録しました。そんな苑内は驚くほど自然豊富で、雑木林には近年なかなかお目にかかれない貴重な山野草の姿も。キンランやギンランなどの、雑木林を象徴する植物も見られます。野鳥や昆虫も多く暮らしており、宮内庁のWebサイトより生きもの豊かな自然情報を確認できます。

【DATA】
所在地：千代田区千代田1-1
☎：03-3213-1111
アクセス：各線「大手町駅」および東京メトロ「竹橋駅」より徒歩約5分
OPEN：9:00〜（閉園時間は時期により異なる）、月・金・年末年始休園

写真：宮内庁提供

ビルの谷間も、緑のアクセントで美しく

18 **アーバンネット神田ビル**
Urban-net Kanda Building

神田駅よりほど近い繁華街の一角にある、壁面緑化が美しいビルの広場です。壁面緑化はサイズも大きく存在感抜群ですが、特に目を惹くのは"立体的"であるということ。大小さまざまな植物を組み合わせ、葉の形や色で趣向を凝らしたデザインには、思わず足を止めて見入ってしまうかもしれません。南西広場にはシンボルツリーのエドヒガンザクラがあり、春に可憐な花を咲かせます。

【DATA】 所在地：千代田区内神田 3-6-2
アクセス：各線「神田駅」より徒歩約2分
OPEN：終日公開、年中無休

東京駅が目の前！ 丸の内を見渡す屋上庭園

⑲ KITTEガーデン
KITTE Garden

東京駅丸の内南口のすぐ目の前、KITTEの屋上に広がるガーデンです。視界を遮るものがない開放的なガーデンは面積約1,500㎡。芝生広場をメインとしつつ、ポイントに花壇を配置して彩りを添えています。最大の魅力は、丸の内エリアでも指折りの見晴らしのよさ。2012年に生まれ変わった東京駅の丸の内駅舎を含め、丸の内の洗練された都会らしい風景を楽しむことができます。もちろん、夜景も魅力的です！

KITTEガーデンは、東京駅前の観光スポット、リフレッシュスポットとして、多くのお客さまにご利用いただいております。

直営担当者から一言

【DATA】 所在地：千代田区丸の内2-7-2　☎ 03-3216-2811
アクセス：JR「東京駅」丸の内南口より徒歩約1分　OPEN：11:00〜23:00（日・祝は22時まで）※天候による閉鎖あり、店舗休日に準ずる

【DATA】 所在地：千代田区丸の内
アクセス：各線「東京駅」および東京メトロ「大手町駅」より徒歩約3分 ほか
OPEN：終日公開、年中無休

街路樹とアート作品が並ぶおしゃれなストリート

⑳ 丸の内仲通り
Marunouchi Nakadori

晴海通り〜永代通りを結ぶ、丸の内を代表するストリート。カフェやレストランが並ぶ通りにはたくさんのベンチが設置され、お買物がてら休憩するのに最適です。街路樹の足下に並ぶ数々のパブリックアートも特徴。2019年にはラグビー日本代表の銅像が展示されるなど、時代を反映した取組にも精力的で、何度も足を運びたくなります。そのほか、道路空間を活かした多彩なイベントを展開しています。

レンガ造りの美術館に、バラの花壇がベストマッチ

㉑ 丸の内ブリックスクエア
Marunouchi Brick Square

丸の内パークビルディングと三菱一号館、そして広場からなる商業ゾーン。初夏と秋には池の周囲にバラが開花し、丸の内でも有数の華やかなオープンスペースが広がります。円柱を覆う巨大な壁面緑化にはドライミストが設置され、厳しい都会の真夏にほのかな清涼感をもたらしてくれます。テラス席で草花を見ながらゆっくりくつろいでいると、日々のわずらわしさを一時忘れられることでしょう。

【DATA】 所在地：千代田区丸の内2-6-1　☎ 03-5218-5100
アクセス：各線「日比谷駅」より徒歩4分、「東京駅」より徒歩約5分
OPEN：店舗により異なる

【DATA】所在地：千代田区丸の内1-8　☎：03-5511-2255
アクセス：各線「東京駅」および「大手町駅」より徒歩約2分
OPEN：終日公開、年中無休

かつての江戸城外堀を再現した石垣は必見

22 丸の内トラストシティ
Marunouchi Trust City

大手町から東京駅方面へと続く遊歩道には、不揃いな石を巧みに積み上げた石垣と豊かな緑道。この石垣はかつてここにあった江戸城外堀の石垣を再現したもので、往時とほぼ同じ形を再現しているのみならず、一部には実際に江戸時代に使われていた石垣を再利用しています。他にも玉川上水をイメージした親水空間や北町奉行所跡の石組溝などもあり、何とも歴史ロマンを感じさせるスポットです。

巨大な大屋根と壁面緑化に出迎えられる、東京の玄関口

23 東京駅八重洲口駅前広場
Tokyo Station Yaesu-Gate

"光に包まれるクリスタルの塔と光の帆"をイメージした大きな白い大屋根『グランルーフ』が印象的な八重洲口は、駅前広場の緑も美しく、レンガ造りが特徴的な丸の内口とはまた違う美しさを有しています。最大の特徴は、2階デッキや階段側面に施された大型壁面緑化。広場と壁面を合わせると、緑化面積はなんと約3,000㎡におよびます。大きさだけでなく色分けも見事で、花のない時期にも広場に彩りを添えています。

【DATA】　所在地：千代田区丸の内 1-9
アクセス：各線「東京駅」直結
OPEN：2階デッキは7：00～23：00

日比谷公園を一望できる、新しい街のランドマーク

24 東京ミッドタウン日比谷
TOKYO MIDTOWN HIBIYA

2018年3月にオープン。6階テラスに広がるパークビューガーデン（左写真）からは日比谷公園と皇居外苑が一望でき、「東京都心って、意外と緑が多いんだな」と実感できることでしょう。ビル内には多彩な店舗あり、映画館あり。また、日比谷ステップ広場では新しい芸術・エンターテインメントを発信するイベントが催されます。最先端の"JAPAN VALUE（日本の価値）"を世界に発信するスポットです。

【DATA】　所在地：千代田区有楽町1-1-2　☎:03-5157-1251（11：00～21：00）　アクセス：各線「日比谷駅」直結　OPEN：ショップ 11：00～21：00、レストラン 11：00～23：00、パークビューガーデンは8：30より開放（強風時閉鎖）、1月1日は休み

日比谷公園へとリンクする、緑深い憩いの場

25 飯野ビルディング
Iino Building

日比谷公園に隣接する飯野ビルディングは、公園に負けず劣らずの美しい雑木の庭が特長です。夏～秋にかけては豊かに茂った木の葉が陽の光を遮り、円形ベンチに腰掛けると何とも言えない心地よさ。木々の足元にもたくさんの草が生え、オフィス街の中にありながらも落ち着いた雰囲気を醸し出しています。霞ヶ関駅に直結するアクセス性の良さも大きなメリットです。

【DATA】 所在地：千代田区内幸町2-1-1
アクセス：各線「霞ヶ関駅」直結
OPEN：終日公開、年中無休

【DATA】 所在地：千代田区内幸町2-1-6
アクセス：各線「霞ヶ関駅」より徒歩約3分
OPEN：終日公開、年中無休

エントランスから奥へと続く、おしゃれな緑

26 日比谷パークフロント
Hibiya Park Front

その名の通り日比谷公園の目の前に位置する複合ビルで、まさに"公園の中のオフィス"といった雰囲気。草木に彩られたエントランスは季節ごとに表情を変え、四季の花が咲く"自然"を実感できるスポットです。ビル1階にはショップとレストランがあり、プロムナードにはベンチも多く設置されていますので、ここで軽食しながらひと休みするのもいいかも。オフィスワーカーにとっては貴重な癒しスポットです。

石と緑が融合する空間が、新橋と日比谷を繋ぐ

27 内幸町広場
Uchisaiwaicho Square

2つのビルの間を縫うように広がる、新橋駅と日比谷公園方面とをつなぐ導線のようなオープンスペース。やや高低差のある敷地内にはベンチも多く設置されており、ひと休みするオフィスワーカーの姿をよく見かけることでしょう。ベンチの形がどこか個性的で、それでいて広場の雰囲気にも不思議と調和しています。植物は草木ともに種類が多く、自然豊かな都市公園といった雰囲気です。

【DATA】 所在地：千代田区内幸町1-5-1
アクセス：各線「新橋駅」より徒歩約3分
OPEN：終日公開、年中無休

110年以上の歴史を刻む、日本初の近代的洋風公園

28 日比谷公園 (ひびや) Hibiya Park

東京23区でもその知名度はトップクラス。東京ミッドタウン日比谷を始めとした高層ビルに囲まれつつ、豊かな緑と美しい花壇、時にカワセミも飛来する大きな池、そしてイベント会場として大活躍する噴水広場などが集結しているこの公園は、常に人が絶えることがなく、まさに日本を代表する都市公園です。毎年秋に開催されている日比谷公園ガーデニングショーでは、コンテナやハンギングバスケットなどの多彩な作品が広場にズラリと並び、多くの花好きの人々が各地から集まってきます。

【DATA】 所在地：千代田区日比谷公園1-6
☎：03-3501-6428
アクセス：東京メトロ「霞ヶ関駅」および「日比谷駅」より徒歩約2分
OPEN：終日公開、年中無休

CHECK！ 都市公園を舞台とした花と緑の祭典 『日比谷公園ガーデニングショー』

毎年10月下旬に開催される『日比谷公園ガーデニングショー』。ガーデンやハンギングバスケットなど4部門にわたるコンテストを実施しており、毎年大小さまざまな花と緑の作品が展示されます。物販やイベントなども盛りだくさんです！
【写真（過去の開催時）】主催者によるコンテスト作品のガイドも実施されます。そのほか、ワークショップやコンサート、「緑と水の市民カレッジ」講座、ガーデニングに役立つアイテムや植物の販売など、さまざまな形で楽しませてくれます。

キーワードで巡る千代田区エリア

（画像出典／＊1＝国立国会図書館デジタルアーカイブス、＊2＝緑と水の市民カレッジ 東京グリーンアーカイブス）

■江戸のまちのゾーニング

山王日枝神社 山王祭（＊1）　　　神田上水 御茶ノ水水道橋（＊1）

明治36年（1903）
の日比谷公園
開園式（＊2）

東京名所 日比
谷公園池畔之景
（＊2）

左上／皇居外苑　右上／神田川・聖橋　左下／御幸通りと東京駅　右下／高層ビルに囲まれたニコライ堂

　このエリアのタウンスケープを読み解くキーワードは「江戸城」「東京駅」「台地と坂」「神田山と神田川」「日比谷公園」です。

　地形的には、武蔵野台地先端部「淀橋台」の東端部である麹町台に位置し、江戸城の外濠という明確な領域がある街になっています。江戸城は千代田城とも呼ばれ、名称は"千代に栄える田"からきているという説もあります。

　左上の図『江戸のまちのゾーニング』を基に、東京駅（大正3年：1914年開業）を起点に時計回りに街歩きをしてみましょう。現在の丸の内は当時「大名小路」と呼ばれ、徳川家と深い関係の譜代大名が屋敷を構えていました。内堀を渡り大手門を入ると江戸城の本丸、二の丸が復元された二の丸庭園がみられる皇居東御苑、その南にあるのが徳川家の御三家・御三卿の屋敷が並んでいた皇居前広場「皇居外苑」エリアです。そこから南に進むと江戸城の城門の一つ、お堀の面影を残す日比谷見付の石垣を見て、その角を曲がると外様の佐賀藩鍋島家、萩藩毛利家の上屋敷が。そして明治に陸軍の練兵所となり、明治36年（1903年）に日本初の洋風近代式公園として開園した日比谷公園に着きます。公園をぬけた西側の官庁街 霞が関は東西方向に坂道が多く、地下鉄千代田線に沿う坂が「潮見坂」、その南が「三年坂」で、坂を上ると麹町台の上に建つ国会議事堂へ、その裏手には江戸三大祭の山王祭が行われる日枝神社を横手に見な

がら、さらに西へ進むと赤坂見附、ホテルニューオータニの西側に紀伊家、尾張家、井伊家の中屋敷にちなむ「紀尾井坂」に着きます。近くには江戸の文様を展示する紀尾井アートギャラリー。北へ上ると JR 四谷駅。さらに北へ進むと江戸城の防御の要である半蔵門に出ます。近くにはイギリス大使館や、桜の開花情報を発信する靖国神社があり、北へ坂を下ると中央線に沿う外濠公園に突き当たります。そこから東へ進み田安門を入ると、日本武道館、東京国立近代美術館、工芸館、国立公文書館、科学技術館がある北の丸公園、千鳥ヶ淵など桜の名所が続きます。

　さらに東側へ進むと神田駿河台。駿河台という名前は、家康の家臣団「駿河家」を神田台に住まわせたことに由来します。この駿河台は元々本郷台の南端部にあった「神田山」を削り、日比谷入り江を埋め立て、その後江戸を洪水から守るために現在の JR 飯田橋、御茶ノ水駅から隅田川まで掘削して「神田川」を通し台地が切り離された結果、深い谷間に鉄道が走る特異な風景となっています。駿河台下の神保町界隈は古書店街、学生の街。旗本の神保家がこのあたりに屋敷を構えていたことからきています。御茶ノ水駅から坂道を下ると、この駿河台のランドマークであったジョサイア・コンドル設計のニコライ堂（ビザンチン洋式の教会建築）がビルの谷間に見えてきます。

エリア別に東京の"緑力"を探す
花と緑のまち歩き

5

中央区

花と緑の まち歩き 5

中央区

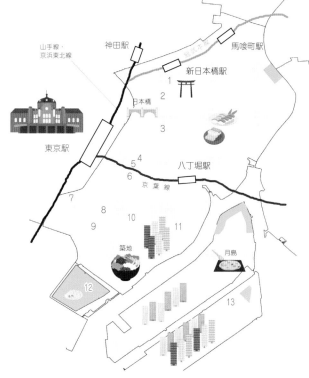

1. 福徳の森／福徳神社
2. 日本橋三越本店
3. 日本橋髙島屋 S.C.本館
4. 京橋トラストタワー
5. 京橋エドグラン
6. 東京スクエアガーデン 京橋の丘
7. 東急プラザ銀座 KIRIKO TERRACE
8. 三越銀座店 銀座テラス
9. GINZA SIX ガーデン
10. GINZA KABUKIZA
11. 築地川公園
12. 浜離宮恩賜庭園
13. 晴海アイランド トリトンスクエア

（絵＝日本橋マーチング委員会）

日本橋から臨海エリアへ……
歴史・文化・未来の共存する街を緑がつないでいます。

　東京、そして日本の中心ともいえる街。中央区は、歴史と伝統を培いながら、更に変化し続けています。

　商売繁盛や勝負事、宝くじ当選祈願などの御利益がある福徳神社と一体となった福徳の森。環境を見つめ、時代を先取った東京スクエアガーデン 京橋の丘。銀座の街を見下ろしながら、空と光、緑と水が感じられる癒しスポット 東急プラザ銀座 KIRIKO TERRACE。銀座で最も空に近い場所に位置する屋上庭園 GINZA SIX ガーデン。異日常・開放感

が体験でき、昼夜を問わず楽しめる日本橋三越本店 日本橋庭園などがあります。そして、咲き誇る四季折々の花々と豊かな樹木、清らかな水音の中でくつろげる晴海アイランドトリトンスクエアは、国内外の環境認証を取得し、世界でもトップクラスの環境への配慮が認められています。

　しゃれたセンスと活気に満ちた街、中央区。皆さんも時間をかけてじっくり歩きつつ、一つひとつを味わうように見てください。きっと、新鮮な驚き、新しい発見、おいしい出逢いがあるはずです。

浜離宮恩賜庭園の菜の花畑に、花の蜜を求めてヒヨドリがやってきました。お花畑は鳥や昆虫にとっても大切な場所です。

日本橋の鎮守の森。和をモチーフとした催しも開催

① 福徳の森／福徳神社
Fukutoku garden / Fukutoku shrine

古くは徳川将軍家からも信仰され、商売繁盛や勝負事などのご利益があるとされて長らく地元の皆さんに愛されてきた福徳神社。2016年秋にオープンした『福徳の森』と併せて、どこか神聖な雰囲気を醸し出しています。イベント会場としてもよく利用され、夏場には金魚の展示や盆踊りなどの日本らしさを強調した催しも。かつての神社の境内さながらに"にぎわい"に満ちた集いの場となっています。

【DATA】 所在地：中央区日本橋室町／福徳の森：2-5-10、神社拝殿：2-5-1
☎：03-3276-3550　　アクセス：東京メトロ「三越前駅」およびJR「新日本橋駅」より徒歩約1分　　OPEN：終日公開、年中無休

自然そのものを体感できる「つながりのもり」

② 日本橋三越本店
Mitsukoshi Nihombashi Department Store

2019年5月に『日本橋庭園』としてリニューアルオープン。東京都心の百貨店の屋上でありながら、それを全く感じさせない非日常感と開放感が得られる空間です。「鎮守と伝統の杜」「四季の森」「季節を映す水辺」などのテーマの異なる5つのゾーンに分かれ、誰でもフリーに使えるテーブル席やイベント会場として使われる広場もあります。老若男女問わず誰もが時間を忘れて佇んでいたくなる、日本橋屈指の癒しスポットです。

開放的な空間でBBQを愉しめるビアガーデン「グリルテラス」＆お好きな食をチョイスできる「フードコート」を期間限定で開催しています。

（矢部 弘さん）

庭園担当者から一言

【DATA】 所在地：中央区日本橋室町1-4-1　☎：03-3241-3311
アクセス：東京メトロ「三越前駅」より徒歩約1分、各線「日本橋駅」より徒歩約5分　　OPEN：店舗営業時間に準じる

老舗百貨店の屋上に、ローズガーデンと日本庭園が!

③ 日本橋髙島屋 S.C.本館
NIHONBASHITAKASHIMAYA S.C. MAIN BUILDING

本館は昭和8年に開業した歴史ある百貨店。2018年に4館（本館、新館、東館、ウォッチメゾン）が一体となった新・都市型ショッピングセンターになりました。本館開業当時よりある屋上庭園は、バラの花がいっぱいの花壇と、七福神の祀られた『七福殿』を見られる日本庭園など、和洋折衷のガーデンとなっています。2019年3月にリニューアルされ、ますます美しく心地よい空間に。お買物の際にはぜひ立ち寄っていただきたい日本橋の名所です。

【DATA】 所在地：中央区日本橋2-4-1　☎：03-3211-4111
アクセス：東京メトロ・都営地下鉄「日本橋駅」B2出口直結、JR「東京駅」より徒歩約5分　　OPEN：10:30〜19:30

ビジネス街 京橋に生まれた雑木と草花のオアシス

④ 京橋トラストタワー
Kyobashi Trust Tower

約1,000㎡におよぶ緑地『Green Commons（グリーンコ
モンズ）』は、常緑樹と落葉樹をバランスよく織り交ぜた雑
木の庭。先端ビジネス街として再開発が進み、高層ビルが
立ち並ぶ京橋エリアでは貴重な広い緑地です。末永くこの
土地に"根ざした緑"をつくることを目的としており、たく
さんの花を咲かせるミモザの木やたくさんのベンチがポイン
ト。末永く利用者に愛される憩いの場となっています。

【DATA】 所在地：中央区京橋2-1-3
アクセス：東京メトロ「京橋駅」より徒歩約1分
OPEN：終日公開、年中無休

たくさんのハーブや実のなる木々が楽しめる

⑤ 京橋エドグラン
Kyobashi Edogrand

1Fの公共空間と3階テラスに緑豊かな広場を持つ京橋エド
グランは、様々な場所に置かれたテーブルや椅子などのファ
ニチャーが特徴的。「町にベンチが少ない」などとよく言われ
る東京の町において、好きな時に気兼ねなく腰を下ろしてひ
と休みできるうれしいスポットです。ショッピングの合間の休
憩や、お昼のティータイムなどにはまさにうってつ
けのスポット。クリスマスのイルミネーションなど、
季節に合わせたイベントも楽しめます。

秋に色づく木々や香りを楽しめるハー
ブ類、夏ミカンやオリーブなど果実の
なる花木を多数植栽。館内のつくりに
もこだわり、"東京で一番心地よい居
場所がある街"を目指しています。
（日本土地建物 木村美樹雄さん）

庭園担当者
から一言

【DATA】 所在地：中央区京橋2-2-1　　Mail：kyobashi.edogrand@nittochi.co.jp
アクセス：東京メトロ銀座線「京橋駅」直結、都営浅草線「宝町駅」より徒
歩約4分　　OPEN：終日公開、年中無休

地上3階までを緑が覆う複合ビルディング

⑥ 東京スクエアガーデン 京橋の丘
Tokyo Square Garden, Kyobashi-no-OKA

京橋駅直結で、銀座と日本橋のちょうど中間に位置する東京ス
クエアガーデンでは、3階テラスに樹木から草本まで様々な植
物を取り入れたガーデンが広がっています。全体的に緑が少な
いといわれるこの界隈では、貴重な緑のオアシス。開けたテラ
スから街を眺めながら、ベンチに腰かけてリラックスできること
でしょう。地下のサンクンガーデンや2階の外構にも植物が
取り入れられ、1〜3階はご覧のとおり緑でいっぱいです。

【DATA】 所在地：中央区京橋3-1-1　　☎：03-6262-0980
アクセス：東京メトロ「京橋駅」より徒歩約1分、都営線「宝町駅」より徒歩
約3分　　OPEN：4:40〜24:40、年中無休

カラフルな壁面緑化に囲まれる屋上テラス

⑦ 東急プラザ銀座 KIRIKO TERRACE
Tokyu Plaza Ginza, KIRIKO TERRACE

屋上に、緑をテーマにした『GREEN SIDE』と水をテーマにした『WATER SIDE』の2つのゾーンを持つパブリックスペースがあります。圧巻なのは、GREEN SIDEを囲うように広がる巨大な壁面緑化。また、足元には芝生が広がる爽やかな空間です。どちらのゾーンにも椅子が設けられ、銀座にお出かけの際にほっと一息つくにはちょうどいいでしょう。銀座の街を一望できる眺めのよさもポイント!

シンボルツリーの枝垂れ桜で銀座にいながら四季折々の風情を楽しむことができる贅沢空間です。芝生が敷かれているので、お子様連れでも安心してご利用いただけます。

【DATA】所在地:中央区銀座5-2-1　☎:03-3571-0109　アクセス:東京メトロ「銀座駅」より徒歩約1分、各線「有楽町駅」より徒歩約2分
OPEN (KIRIKO TERRACE):11:00～21:00、店舗休日に準ずる

屋上の芝生広場でのんびりと過ごす

⑧ 三越銀座店 銀座テラス
MITSUKOSHI Ginza Store, Ginza Terrace

銀座の街に集うあらゆる世代の人がくつろげるように……そんな願いの込められたテラスガーデンです。9階屋上にテーブルや椅子、ベンチがたくさん置かれ、より多くの人がリラックスできる"やさしさ"いっぱいの環境。主軸となるのは、自然風な質感を持つウッドデッキと、開放的な芝生広場。子供たちが身体を動かして遊ぶには最適です。同じフロアにはカフェもあるので、テイクアウトしてここでひと休みするのもいいですね!

緩やかに勾配のある芝生の広場と四季折々の草木が溢れる憩いの空間で、春の訪れや秋の紅葉など四季の移ろいを感じて頂けます。(総務業務ディビジョン 伊達春江さん)

【DATA】所在地:中央区銀座4-6-16　☎:03-3562-1111
アクセス:東京メトロ「銀座駅」より徒歩約1分、「東銀座駅」より徒歩約2分
OPEN:10:30～23:00、店舗休日に準ずる

うるおいに満ちた、銀座の新しい屋上庭園

⑨ GINZA SIX ガーデン
GINZA SIX Garden

都会の喧騒を逃れて、無性に自然に触れたくなる時、手軽に豊かな緑の空間を楽しめる都会のオアシス、それが屋上庭園です。ベンチにゆっくりと腰掛けて、物思いに耽ってみるのもいいかも。きっとあなたを四季折々のさまざまな種類の草花が出迎えてくれるでしょう。春夏には柔らかい風の温もりを感じ、秋冬になれば爽やかな空気を肌に感じることができます。そしてそこであなたは自分自身の安らぎを見つけることができるでしょう。

回遊通路は、朝は散歩に、昼は周囲の眺望、そして夜は、ロマンチックな素敵なシーンを演出します。
(今井啓之さん)

【DATA】所在地:中央区銀座6-10-1　☎:03-3572-0888(GINZA SIX管理事務所)
アクセス:東京メトロ「銀座駅」より徒歩約2分、「東銀座駅」より徒歩約3分
OPEN:屋上7:00～23:00・2F 三原テラス9:00～21:00、年中無休

第五期歌舞伎座。5階には和の屋上庭園が

⑩ GINZA KABUKIZA
GINZA KABUKIZA

伝統芸能 歌舞伎の隆盛と、銀座エリアの更なる活性化を願って2013年にオープン。オフィスビルと一体化した新しい歌舞伎座です。石灯籠などを配して和の雰囲気を表現

した屋上庭園は、暖かい日差しが差し込む心地よい憩いの空間。同時に「先人の碑」や「黙阿弥の石燈籠と蹲踞（つくばい）」など、歌舞伎にまつわる記念碑が設置されています。「五右衛門階段」で5階に登ってみましょう。

【DATA】 所在地：中央区銀座4-12-15　☎：03-3545-4300
アクセス：各線「東銀座駅」より徒歩約1分、東京メトロ「銀座駅」より
徒歩約5分　OPEN：10:00～19:00、年末年始休館

【DATA】 所在地：中央区明石町10-2
☎：03-3546-5435
アクセス：東京メトロ「築地駅」または「新富町駅」より徒歩約3分
OPEN：終日公開、年中無休

自然な雰囲気の小川と芝生広場が美しい街中ガーデン

⑪ 築地川公園 Tsukijigawa Park

築地駅と聖路加ガーデンの間に位置する、ビルの谷間に広がる公園です。両サイドを車道と建物に挟まれる一見すると厳しい立地ながら、開放的な芝生と清らかな小川の流れる園内は不思議なほど落ち着ける雰囲気。ベンチや子供向けの遊具なども多く設置されており、地域の皆さんにとっては欠かせない癒しの空間となっています。自然な雰囲気の小川沿いには、夏、ミソハギのピンクの花が多数開花。とりわけ地域の子供たちにとっては、気軽に植物に親しめる貴重なスポットです。

徳川将軍家の鷹狩り場から、都内最大の大名庭園へ

⑫ 浜離宮恩賜庭園　Hama-rikyu Gardens
（はま り きゅう おん し ていえん）

朝入の池と二つの鴨場をもつ、江戸時代の代表的な大名庭園。かつては徳川将軍家の鷹狩り場でしたが、やがて将軍家の別邸などが建てられ、11代将軍 家斉の時代にほぼ今の姿に。現在では国の特別名勝および特別史跡に指定されています。広大な池こは、冬になると毎年多くのカモが飛来するほか、潮入の池に浮かぶように建つ中島の御茶屋では抹茶と和菓子もお楽しみいただけます。また、園内北側に広がるお花畑では、春に菜の花、秋にコスモスが一面に開花し、そのダイナミックな美しさは圧巻です。

【DATA】　所在地：中央区浜離宮庭園1-1　☎：03-3541-0200
アクセス：都営大江戸線「築地市場駅」または「汐留駅」より
徒歩約7分　OPEN：入園料300円、9:00〜17:00（入園は16:30まで）、年末年始休園

四季を通じ、彩りを欠かさない再開発エリア

⑬ 晴海アイランド トリトンスクエア
Harumi Triton Square

レンガ調の建物外壁と、曲線美を活かした散策路、そして約20万株におよぶ草木が見事に調和したテラスガーデン。テーマパークのような独特の雰囲気があります。宿根草やカラーリーフを織り交ぜた混植型の花壇は、本場イギリスのボーダーガーデンのよう。蜜を求めてチョウなどが訪れることもあります。目の前に運河が流れる開放的な立地も魅力。花と緑に包まれながら運河を望み、優雅なティータイムなどいかがでしょうか。

【DATA】　所在地：中央区晴海1-8
アクセス：都営大江戸線「勝どき駅」より徒歩約7分
OPEN：終日公開、年中無休

キーワードで巡る中央区エリア

（画像出典／＊1＝国立国会図書館デジタルアーカイブス、＊2＝緑と水の市民カレッジ 東京グリーンアーカイブス）

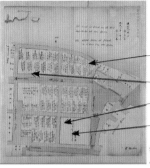

アメリカ公使館

海岸女学校：
青山学院の前身

立教大学校

現在の聖路加病院

築地外国人
居留地の図（＊1）

1／江戸期の日本橋（＊1）
2／江戸十二景：佃島（＊1）
3／慶應義塾開塾、蘭学事始の地　4／明治〜大正頃の日本橋（＊2）　5／首都高速が被さる日本橋（2019年）
6／明治の隅田川 川の手風景（＊2）　7／令和元年の川の手風景　8／明治の銀座煉瓦街（＊2）

　このエリアのタウンスケープを読み解くキーワードは「**文明開化**」「**日本橋**」「**佃島**」「**川の手**」「**銀座と柳**」です。

　中央区エリアは、江戸東京の文明開化の足跡を色濃く残しています。慶長8年（1603年）、徳川家康は江戸の交通の起点として「日本橋」を架橋し、五街道を定めました。これをきっかけに日本橋一帯は江戸の文化・経済・商業の中心地となりました。日本橋付近には江戸の食をまかなう魚河岸がありましたが、関東大震災後は築地に移転し、その後、築地市場は紆余曲折を経て約80年の幕を閉じ、平成30年（2018年）10月に豊洲へと移転しました。また家康は、大阪の佃村から呼び寄せた漁師たちに「寄り洲」という場所を提供し、「佃島」を造成させました。江戸期の新しい島の創出です。

　隅田川の河口部は、台地の「山の手」に対して「川の手」とも呼ばれています。しかし1964年の東京オリンピック開催に向けて、この風景がガラリと変わります。開催準備のため、主会場整備以外に東京の道路、河川の風景が大きく変化しました。その象徴が日本橋で、川の上に首都高速が建設され、日本橋は日陰の橋と化してしまいました。この「川の手」エリアには徳川将軍家の浜御殿で、江戸の大名庭園の特徴である回遊式の潮入り庭園として現存する浜離宮恩賜庭園、その隣の築地市場跡地には第11代将軍 徳川家斉の補佐役 松平定信が築庭した潮入りの花の庭園「浴恩園」の遺

構が明治期まで残っていました。埋立地に築かれた築地は、明治元年に「築地外国人居留地」が開かれ、日本の文明開化をリードする街となりました。現在の聖路加病院あたりに赤穂藩浅野家の上屋敷、中津藩奥平家の跡地には杉田玄白が「解体新書」を完成させた「蘭学事始地」、福沢諭吉の「慶応義塾発祥の地」として石碑が建っています。また青山学院、立教大学などの発祥の地でもあります。このエリアのランドマークは関東大震災後、建築家伊東忠太の設計によるインドの古代寺をモチーフとした「築地本願寺」。その一角に江戸琳派の画家酒井抱一の墓があります。

　慶長17年（1612年）、銀貨鋳造所の銀座がJR有楽町近くに置かれ、新両替町が生まれます。今日の「銀座」が誕生するのは、明治5年の銀座の大火がきっかけでした。東京の中心街を不燃化するため「銀座煉瓦街」が計画されまず道路幅の確定から始まりました。道路は、これまでの8間（約14m）から15間（約27m）へ、左右に3間半（約6.36m）合わせて7間（12m）の歩道を取り、車道と歩道の間には街路樹として角には松、その間は桜、楓を交互に植えています。その後、これらの樹種は生育が悪いため、現在の柳が植えられました。明治6年、銀座煉瓦街は完成します。煉瓦街は震災で壊滅しますが、15間（約27m）道路という大きな基準空間は残り、現在の銀座に受け継がれています。

エリア別に東京の"緑力"を探す
花と緑のまち歩き

6

江東区
墨田区
荒川区
台東区

花と緑の まち歩き 6

江東区
墨田区
荒川区
台東区

1. 深川消防署 豊洲出張所
2. アーバンドック ららぽーと豊洲
3. 深川ギャザリア
4. 清澄庭園
5. 回向院
6. 東京都江戸東京博物館
7. オリナス錦糸町
8. 東京スカイツリータウン®
9. 猿江恩賜公園
10. リバーピア吾妻橋
11. 大横川親水公園
12. 朝倉彫塑館
13. 隅田公園
14. 三ノ輪橋停留場周辺
15. 向島百花園
16. 荒川二丁目南公園
17. 旧岩崎邸庭園
18. 荒川二丁目停留場 ～荒川自然公園
19. 上野恩賜公園
20. 町屋駅前

（地図内表記）
都電荒川線
山手線・京浜東北線
三ノ輪橋駅　三河島駅
荒川区
日暮里駅
鶯谷駅
台東区
東武スカイツリーライン
20　18　14
16
12
19　17
13　10
上野駅
両国駅　6　11　7
5
錦糸町駅
押上駅　8
延蔵線
9
4
墨田区
3
潮見駅
2　1
豊洲駅　江東区
新木場駅
有明駅
ゆりかもめ

東京スカイツリーのお膝元で、江戸～近代の東京めぐり

　この地域は、東は千葉県、北は埼玉県に接し、旧江戸城すなわち現在の皇居の東側にあたります。河川や運河が縦横に流れる地形から、親水公園が多く整備された江東区。2012年春に開業し、区のほぼ中央に位置する東京スカイツリータウンのほか、両国国技館など、国内外にアピールできる観光資源が豊富な墨田区。陸・海の交通拠点として栄え、先人が残した文化財や史跡が数多く残る荒川区。江戸時代から栄えてきた由緒正しい下町 台東区。それぞれ特色のある4つの区が連なり、歴史・文化・下町風情が共存することで国内外から多くの観光客が集まります。

　各スポットに目を向けてみましょう。清澄庭園や向島百花園などの日本庭園はもちろん、台東区の美術館 朝倉彫塑館には昭和初期につくられた屋上庭園があり、今でも見学が可能! 歴史を感じさせてくれる魅力的なスポットが多くあります。その一方で東京スカイツリータウンのテラスガーデンはもちろん、ビジネス・ショッピング・アメニティが融合した親しみのある木場の憩いの場 深川ギャザリアなど、緑と共に歩む、新しい東京の町のスタイルが垣間見えるエリアでもあります。時代を超えて親しまれる緑のある町を、ぜひゆっくり散策してみましょう。

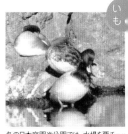

冬の日本庭園や公園では、水場を要チェック。北国から冬越しにやってきたカモたちが羽を休めています。（手前はホシハジロ）

緑陰豊かな森に季節の花が咲くオープンスペース

① 深川消防署 豊洲出張所

Fukagawa Fire Department, Toyosu Branch Office

豊洲駅（ゆりかもめ）のすぐ目の前、ららぽーと豊洲の隣に位置する消防署出張所。ビル前のオープンスペースは、樹木もさることながら下草が非常に豊富で緑いっぱい。夏場にはユリの仲間が多く花を咲かせるほか、アジサイの咲くプロムナードもあります。程よい木陰に覆われるベンチは、真夏の心強い味方です。車道を挟んだ反対側には豊洲公園があり、そちらは芝生を軸とした開放的な空間になっています。

【DATA】所在地：江東区豊洲2-2-18
アクセス：東京メトロ・ゆりかもめ「豊洲駅」より徒歩約1分
OPEN：終日公開、年中無休

昭和の造船所の遺構が残る、商業施設の庭へ

② アーバンドック ららぽーと豊洲

Urban Dock LaLaport Toyosu

この辺りは昭和初期に造船工場が建てられ、長らく日本の海運を支えてきました。商業施設へと転換された今も、当時使用されていた錨やギアなどの産業遺構がモニュメントとして広場内に数多く残されており、散策意欲をそそられます。他にも様々な生きものが共存する自然豊かな庭園『ビオガーデン』や、海を眺めながら横たわれる大きなベンチなど、コンテンツは実に多彩。お買物ついでに巡り歩いてみましょう！

【DATA】所在地：江東区豊洲2-4-9　☎：0570-077-732（代）受付時間 10:00
〜18:00　アクセス：東京メトロ有楽町線「豊洲駅」2番出口よりすぐ、
ゆりかもめ「豊洲駅」北口より徒歩約5分　OPEN：終日公開、年中無休

英国風庭園とビオトープ、2つの顔を持つ庭

③ 深川ギャザリア

Fukagawa Gatharia

木場駅側エントランスから最初に視界に開けるのは、英国風庭園の「ガーデンコート」です。バラやチューリップ等季節の花々が華やかな花景観を楽しめます。ここから四季の小道を経てビオガーデン「フジクラ木場千年の森」へ。こちらは関東在来種を配し、かつての自然を再現した森です。日本古来の生きものを大切にしています。毎年、カワセミ、カルガモ等が営巣しています。対称的なイングリッシュテイストと和の趣をもつ庭園をお楽しみください。

木場千年の森では、季節によって様々な植物、昆虫、鳥が息づいています。「生きものファーストな庭園」で日本の移りゆく四季をゆっくりお楽しみください。

（株）フジクラ 清家 梢さん

庭園担当者
から一言

【DATA】所在地：江東区木場1-5　☎：03-5857-2112　アクセス：東京メトロ
東西線「木場駅」より徒歩約2分　OPEN：フジクラ木場千年の森は4〜9月
7:00〜18:00、10〜3月 7:00〜17:00（年末年始、管理作業期間除く）

岩崎彌太郎が集めた全国の名石を、風景と共に楽しむ

④ 清澄庭園 きよすみていえん Kiyosumi Garden

都立9庭園の1つで、大きな池を中心とした回遊式林泉庭園です。園内を彩るアクセントとして、春のサクラやシャガ、ハナショウブの群落など花も美しいですが、何より特筆すべきは"石"の数々。三菱グループの創始者 岩崎彌太郎が自らデザインを考えた庭園内には、伊豆や紀州、佐渡など全国各地から集められた庭石が散りばめられており、庭がつくられてから約150年が経過した今も、そのほとんどが当時のままに残されています。中には、もうどこでも採掘できない貴重な石の姿も……!

【DATA】 所在地：江東区清澄2・3
☎：03-3641-5892
アクセス：都営線・東京メトロ「清澄白河駅」より徒歩約3分
OPEN：9：00〜17：00 、年末年始休園

空中に浮かぶ竹林庭園に迎えられる、祈りの場

⑤ 回向院 Ekoin

エントランスから竹林に挟まれた駐車場を通過し、その先に見えてくる念仏堂が最大の特徴。なんと1階部分の屋根にも竹林が広がり、建物の外周を覆っています。この空中竹林は極楽浄土を垣間見る空間、あるいは人々がふっと心を落ち着かせて自分自身を顧みる空間として作庭されたのだとか。その他、大きな木々と草花が織りなす庭も魅力的。イチョウの巨木は、墨田区の保護樹木に指定されています。

【DATA】 所在地：墨田区両国2-8-10　☎：03-3634-7776
アクセス：JR「両国駅」より徒歩約3分、都営線「両国駅」より徒歩約10分
OPEN：9：00〜16：30

江戸〜東京の伝統を今に伝える、緑に囲まれた博物館

⑥ 東京都江戸東京博物館
Tokyo Metropolitan Edo-Tokyo Museum

江戸幕府初代将軍にして、江戸（東京）の礎を築いた徳川家康公の像（左写真）が見つめる巨大な博物館。両国国技館に隣接し、両国の駅からもその姿が間近に見える街のシンボルです。江戸時代から近代にいたるまでの江戸と東京の歴史や文化を伝える博物館は、家康像の周りのサクラ並木を始めとして植物も多く取り入れられており、春にはとりわけ美しく彩られます。眺望の美しいレストランやカフェも魅力的！

【DATA】所在地：墨田区横網1-4-1　☎：03-3626-9974　アクセス：JR「両国駅」より徒歩約3分、都営大江戸線「両国駅」より徒歩約1分　OPEN：9：30〜17：30（土曜は19：30まで）月曜休館 ※入館は閉館の30分前まで

ユニークなパブリックアートがならぶ緑の散策路

⑦ オリナス錦糸町
olinas Kinshicho

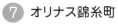

錦糸公園と隣接する大型商業施設。ビルの裏手には、モミジなどの中低木と多彩な草花を植えた緑のプロムナードがあります。ここには『リレー ザ フューチャー プロジェクト』と題し、子供たちの描く“未来の夢”をテーマにした11個のアート作品が設置され、2003年からずっと大切に展示されています。それぞれの作品ごとに解説のプレートも設置されていますので、美術館感覚で楽しめることでしょう。

【DATA】所在地：墨田区大平4-1-2　☎：03-3625-3085
アクセス：東京メトロ半蔵門線「錦糸町駅」より徒歩約3分
OPEN：店舗オープン時間に準ずる

東京のシンボルの足元には、花と緑のガーデンが

⑧ 東京スカイツリータウン ®
TOKYO SKYTREE TOWN

2012年に開業した、言わずと知れた東京のシンボルタワー 東京スカイツリー®を擁する複合施設です。タワーの入口がある4階の広場には北関東の風景をテーマにした雑木林の木々を植栽するなど、季節の花も楽しめる憩いの場として、日々多くの人々が集う賑わいの場となっています。植栽バルコニーや壁面緑化などによる立体緑化により、タウン全体が“緑の丘”となっています。

【DATA】所在地：墨田区押上1-1-2　☎：0570-55-0102（東京ソラマチコールセンター）
アクセス：東武スカイツリーライン「とうきょうスカイツリー駅」すぐ、または各線「押上（スカイツリー前）駅」すぐ　OPEN：6：30〜24：00（4階 スカイアリーナ）

© TOKYO-SKYTREETOWN

江戸時代から続く貯木場の歴史を、今に伝える

⑨ 猿江恩賜公園 Sarue Onshi Park
<small>さるえ</small>

猿江恩賜公園の一帯は、かつて江戸幕府から明治政府に至るまでが貯木場（材木を水に浮かべて蓄えておくための場所）として利用していました。1932年に公園として一般に開園されましたが、園内には『ミニ木蔵』と題してかつての貯木場を思わせる池が再現されています（上写真）。公園内は緑豊かで、南側の庭園を始めとした落ち着いたエリアと、レクリエーションに適した芝生広場などが共存する心地よいスポット。歴史を今に伝えるミニ木蔵の池には、サギなどの水鳥がよく飛来します。

【DATA】 所在地：江東区住吉2、毛利2
　　　　☎：03-3631-9732
　　　　アクセス：都営線・東京メトロ「住吉駅」より徒歩約2分
　　　　OPEN：終日公開、年中無休

隅田川沿いのオープンスペース。勝海舟の像も

⑩ リバーピア吾妻橋
Riverpia Azumabashi

独特の形状で知られる『炎のオブジェ』で有名なアサヒビールの本社と、墨田区役所が並ぶ高層ビル群で、墨田区屈指の景勝地です。ビル群の谷間に草木が多数植えられ、区役所前のサクラ咲く『うるおい広場』には、幕末の偉人 勝海舟の銅像が建てられています。目の前を隅田川が流れており、すぐ近くにある吾妻橋を渡れば浅草にたどり着くなど、アクセスしやすいスポットでもあります。

【DATA】 所在地：墨田区吾妻橋1-23-20
　　　　アクセス：都営浅草線「本所吾妻橋駅」または各線「浅草駅」より徒歩約5分
　　　　OPEN：終日公開、年中無休

全長約1,800メートル。墨田の町をつなぐ大型公園

⑪ 大横川親水公園 Oyokogawa Shinsui Park

南は錦糸町駅周辺から、北は東京スカイツリーの目の前まで、墨田区内を南北に貫通する形で細長くのびる親水公園です。元々ここに流れていた大横川という川を埋め立て、水と親しめる公園へと転換されたこのスポットでは、春になれば毎年サクラが花開き、夏から秋にかけては水遊びの格好のスポットとして家族連れを中心に多くの人が集まります。噴水池のほか、上流域の渓流を模した滝や大小の岩を配置させて蛇行させたせせらぎなど、水景の種類が多彩なことも大きな特徴です。

【DATA】 所在地：墨田区吾妻橋3 ほか
アクセス：東武線「とうきょうスカイツリー」駅および都営線「本所吾妻橋駅」より徒歩約5分
OPEN：終日公開、年中無休

昭和初期の屋上庭園が今なお残る彫刻美術館

⑫ 朝倉彫塑館
ASAKURA Museum of Sculpture

明治～昭和にかけて活躍した彫刻家 朝倉文夫のアトリエ兼住居を美術館として公開するこの建物には、オリーブの木をシンボルツリーとする屋上庭園があります。「植物を育て、自然を見る目を養う」ことに重きを置いた朝倉は、この屋上を、自らが主宰する専門学校の園芸実習場として活用しました。日本の屋上緑化の先駆けともいえる菜園は、現在は庭園に姿を変えて来館者を迎えます。彼方にはスカイツリーの姿も望めます。

【DATA】 所在地：台東区谷中7-18-10　☎：03-3821-4549　アクセス：各線「日暮里駅」北改札西口より徒歩約5分　OPEN：9:30～16:30(入館は16:00まで)、月・木休館(祝休日の場合は翌平日) ※入館料500円。入館時は靴下着用。屋上庭園は雨天・荒天時等には閉鎖します。

【DATA】 所在地：台東区今戸1-1、浅草7-1、花川戸1-1、花川戸2-1
アクセス：各線「浅草駅」より徒歩約5分　ほか
OPEN：終日公開、年中無休

隅田川の成長を見守る親水公園

⑬ 隅田公園　Sumida Park

隅田川の左岸と右岸の両方に広がる公園で、台東区内でも屈指のサクラの名所として知られています。すぐ目の前を隅田川が流れ、川の目の前を歩くことができるのが特徴。最近では隅田川もずいぶんと水がきれいになり、より居心地のいい空間となりました。見晴らしのよい川沿いの散策路や園内にあるカフェのテラス席などからは、スカイツリーを始めとした名所も望むことができます。また、夏にはこの公園を舞台に、有名な隅田川花火大会が実施されます。

都電荒川線沿線を彩るバラの "始発・終着駅"

⑭ 三ノ輪橋停留場周辺
Around Minowabashi Station

都電荒川線沿線では、荒川区と、荒川区の呼びかけにより発足したバラのお世話をするグループ「荒川バラの会」によって沿線にたくさんのバラが植えられ、区の観光名所の一つとなっています。都電の始発・終着である三ノ輪橋停留場の周辺には、写真を見てもわかる通りバラがたくさん！コンテナや花壇のバラ越しに都電の写真撮影をするファンの姿も見受けられます。

【DATA】 所在地：荒川区南千住1-12
アクセス：都電「三ノ輪橋停留場」目の前
OPEN：終日公開、年中無休

江戸の園芸文化を伝える花園

⑮ 向島百花園 Mukaijima-Hyakkaen

Gardens

向島百花園は、江戸町人文化が花開いた文化・文政期に、商人により創設された花園です。花の咲く草木が観賞できる草庭として開園し、春・秋の七草や、セツブンソウ、ヒトリシズカ、ユキワリソウなど、四季の花が楽しめます。9月に見頃を迎える全長約30メートルの『ハギのトンネル』や、梅や朝顔など、季節ごとの見所が満載です。

【DATA】 所在地：墨田区東向島3　☎：03-3611-8705
アクセス：東武スカイツリーライン「東向島駅」より徒歩約8分
OPEN：入園料150円、9:00～17:00、年末年始休園

区民ボランティアがバラを育てる憩いの空間

⑯ 荒川二丁目南公園

Arakawa 2 Minami Park

こちらも都電荒川線沿線のバラ風景の1つ。「荒川バラの会」の皆さんが大切にバラを守り育てており、深紅のバラ「レッドクイーン」を中心とした色鮮やかなバラが初夏を中心に公園内を彩ります。バラのほかにもアジサイやツツジ、季節の小さな花などがたくさん。住宅街の公園でありながら、花壇を広く確保しており、華やかな雰囲気を醸し出しています。

【DATA】 所在地：荒川区荒川2-18-6　☎：03-3802-3111
アクセス：都電「荒川二丁目停留場」より徒歩約2分
OPEN：終日公開、年中無休

森に囲まれた近代建築と、芝生の美しい庭園

⑰ 旧岩崎邸庭園 Kyu-Iwasaki-tei Gardens

旧岩崎邸庭園は、大名屋敷であった敷地を岩崎彌太郎（三菱初代社長）が購入し、1896年（明治29年）長男で3代社長の久彌により本邸として建てられました。往時の3分の1の面積を持つ園内には、和洋併置式で建てられた洋館、和館、撞球室の3棟が現存しており、重要文化財に指定されています。樹齢400年ともいわれている大イチョウをはじめ、ヒマラヤスギやモッコクなど緑が豊かで、広い芝生とともに、都会のオアシスとして癒しの場となっています。

【DATA】 所在地：台東区池之端1-3-45
　　　　☎：03-3823-8340
　　　　アクセス：東京メトロ「湯島駅」より徒歩約3分
　　　　OPEN：入園料400円、9:00～16:30

つるバラに彩られた坂道が、公園へと誘う

⑱ 荒川二丁目停留場～荒川自然公園
Arakawa-nichome Station～Arakawa Shizen Park

停留場から荒川自然公園までのゆるやかな坂道は、初夏になるとこぼれ落ちそうなほどたくさんの花を咲かせたつるバラによって彩られます。ここのバラも「荒川バラの会」の皆さんによって管理されており、つるバラの特性を活かしてラティスに絡ませ、立体的に魅せるバラは存在感抜群。満開期の坂道はローズガーデン顔負けの美しさです。また、停留場前の花壇には株立ちのバラが多数植えられています。

【DATA】 所在地：荒川区荒川2-27 ほか
　　　　アクセス：都電「荒川二丁目停留場」目の前
　　　　OPEN：終日公開、年中無休

これからも多くの都民に愛される、元祖都市公園

 上野恩賜公園 Ueno Onshi Park

開園は1873年と芝公園と並んで古く、日本で最初の都市公園とも謳われています。春にはサクラの見物客で毎年大賑わい。他にも、動物園や美術館などの施設が園内に数多く建てられ、食事処やカフェなどもあり、1日ゆっくりと滞在できるスポットです。また、公園の南端に位置する不忍池(しのばずのいけ)は、周囲約2kmという都内屈指の大きな池で、夏場はハスの大群落に覆われる一方、冬場になると北国から多くのカモがやってきて賑やかになります。最近ではカワセミの姿もよく見られます。

【DATA】 所在地：台東区上野公園5-20
☎03-3828-5644　アクセス：各線「上野駅」より徒歩約2分、京成線「京成上野駅」より徒歩約1分
OPEN：終日公開、年中無休

線路沿いを彩るバラの花壇。トレリスのつるバラも見事

 町屋駅前
Machiya-ekimae Station

街の玄関口ともいえる駅前広場は、いうなれば街の"顔"のようなもの。京成電鉄・東京メトロ「町屋駅」と都電荒川線「町屋駅前停留場」を結ぶルートは「荒川バラの会」によって管理されたバラのコンテナや花壇で色鮮やかに彩られ、行き交う人々は様々な色形のバラに思わず目を奪われます。バラが最盛期を迎える5月には毎週のようにお手入れをし、常に美しく保つよう心がけています。

【DATA】 所在地：荒川区荒川7-49
アクセス：都電「町屋駅前停留所」目の前
OPEN：終日公開、年中無休

キーワードで巡る江東、墨田、荒川、台東区エリア

（画像出典／＊1＝国立国会図書館デジタルアーカイブス、＊2＝緑と水の市民カレッジ 東京グリーンアーカイブス）

5

6

8

7

9

1

2

3

4

江戸城
と鬼門

1／上野公園：明治40年東京勧業博覧会（＊2） 2／明治中期の向島百
花園 3／元深川公園（深川八幡宮）（＊2） 4／墨堤の花見（＊2）
5／不忍池と寛永寺 6／江戸十二景観浅草（＊1） 7／入谷の朝顔市
（＊1） 8／隅田川両岸（＊1） 9／水上バス（浅草吾妻橋付近）

このエリアのタウンスケープを読み解くキーワードは「隅田川」「上野・鬼門と桜」「上草」「深川」「明暦の大火」です。

このエリアは、江戸東京の文化・文芸を生み出した母なる隅田川と深くつながっています。明治6年、江戸東京の名所が公園に指定されましたが、最初に指定された5つの公園（上野、浅草、芝、深川、飛鳥山）の内の3つがこのエリアの中にあります。1つ目は、上野台地にある上野公園。ここには徳川三代将軍家光の時、江戸城の「鬼門」として、京の町にならって比叡山にあたる東叡山寛永寺が建立されています。また将軍家光の命で桜が植栽され、上野の花見が始まりました。公園化された上野は、各種の博覧会会場として文明開化の足跡を残し、現在は上野動物園、各種美術館、博物館が軒を並べ、東京の文化ゾーンを形成しています。近くには、最後の将軍 徳川慶喜や渋沢栄一などが眠る都立谷中霊園の崖下に京浜東北と山の手線が走り、ここから東に「下町低地」が広がっていきます。江戸の文人が多く暮らし、明治には俳人 正岡子規が暮らした子規庵が今も残る街は「根岸の里」と呼ばれていました。根岸の里から南へ進むと、毎年7月に江戸の下町情緒を伝える入谷で「朝顔市」、浅草で「ほおずき市」が開かれています。2つ目は浅草寺境内を浅草公園に指定しましたが、その後指定を解除しています。浅草の賑わいに変化はなく、大衆演劇の地、浅草六区、浅草寺境内、仲見世から雷門

を抜けると、隅田川の東岸に下町のランドマーク, 東京スカイツリーが見え隠れします。吾妻橋付近から水上バスに乗り、東京水辺の風景再発見巡りも楽しめます。

隅田川東岸の向島は正月三が日、隅田川七福神巡りで賑わいます。この催しは、向島百花園に集った太田南畝などの江戸の文人たちの発案で始まりました。隅田川を下ると両国です。ここには旧安田庭園、江戸東京博物館、すみだ北斎美術館が並び、周辺には江戸の伝統工芸が体験できる工房があります。江戸へ行徳の塩を運ぶため造成された運河 小名木川から南は埋立地で、深川八郎右衛門をはじめとする集団が開拓し、現在の「深川」が生まれています。3つ目の深川公園は、深川の名所である富岡八幡宮境内を公園化したものですが、境内は返還され、現在は江東区の小公園として名残を留めています。明暦の大火後、霊巌島から霊巌寺が移転し、深川に寺町が形成されました。近年、アートとコーヒーの香る街として知られる清澄白河には、霊巌寺の西側に岩崎彌太郎の夢の庭園 清澄庭園が、東側には深川江戸資料館があり、木場公園と東京都現代美術館も近くにあります。

1964年の東京オリンピックは都心部が会場でしたが、TOKYO2020のオリンピック・パラリンピックでは、ヘリテージゾーンと呼ばれる都心会場と東京ベイゾーンに分かれ、選手村やバレー、馬術、水に関係するスポーツ競技の多くがこのエリアで開催されます。

エリア別に東京の"緑力"を探す
花と緑のまち歩き

7

豊島区
文京区
北区
練馬区

① 南池袋公園
② サンシャインシティ サンシャイン広場
③ 小石川後楽園
④ 豊島区新庁舎
⑤ 西武池袋本店９階屋上 食と緑の空中庭園
⑥ 小石川植物園
⑦ 六義園
⑧ 文京グリーンコート
⑨ 旧古河庭園
⑩ 渋谷園芸練馬本店 欅の森
⑪ 飛鳥山公園
⑫ 石神井松の風文化公園
⑬ 石神井公園
⑭ 練馬区立牧野記念庭園

立教大学（絵＝豊島マーチング委員会）

"住みたい街" ランキング常連の城北エリア
沿線の花と緑も人気のポイントです

　再開発が進む池袋をはじめ、東京都内の「住みたい街」上位にランクインするこのエリアでは、2020年のスポーツイベントに向けたプロジェクトも多数進行中です。

　東京23区の中でも比較的住宅地の多い北区、池袋をはじめとするオフィスや商業施設の多い豊島区、東京ドームやラクーアなどの大型商業施設がある一方で東京大学やお茶の水大学などの教育機関が多くアカデミックな面も持つ文京区など、区ごとに様々な特徴があります。

　最近では東京メトロ副都心線の開業で、交通網が整備され、板橋区、練馬区、豊島区からでも都心部へのダイレクトアクセスが可能になりました。一年中緑の芝生が広がる南池袋公園、季節ごとに装いを変えるミニビレッジが楽しめるサンシャイン広場、睡蓮の庭とグリーンウォールが皆様をお迎えする食と緑の空中庭園など、家族で楽しめる緑が相対的に多いエリアといえます。

都心から少し離れると、昆虫の数や種類が目に見えて増えるものです。公園の池などでは、美しいチョウトンボに会えるかも？

豊島区と地元の皆さんが共に育てる、新しい賑わいの場

1 南池袋公園　Minami-Ikebukuro Park

2016年4月に全面オープンした、池袋の街中公園。園内では、生産者と消費者の"食を介するつながりの場"を目指したカフェレストラン「Racines FARM to PARK」が営業しており、公園の要となっています。ベンチとしても機能し、ベンチよりも気軽に座れる段差のあるデッキは、語らいの場としては最適のスポット。昼食や午後のティータイムなどには大変賑わいます。現在、地元の代表者やカフェの経営者、植栽管理者などが豊島区役所と連携しながら、公園の更なる魅力UPを試みています。

【DATA】所在地：豊島区南池袋2-21-1
　　　　☎：03-3981-1111
　　　　アクセス：各線「池袋駅」より徒歩約5分
　　　　OPEN：8:00〜22:00、年末年始は休園

四季の草花が、高層ビル街をカラフルに演出！

2 サンシャインシティ サンシャイン広場
The roof of top Sunshine plaza

池袋の象徴ともいえるサンシャイン60のお膝元に広がるガーデン。高層ビルの谷間という限られたスペースながら、花壇は四季折々の草花に彩られ、色彩鮮やかな空間となっています。太陽の光があふれ心地よい風を感じる屋上で、ベンチに座ってのんびりとくつろげることでしょう。仕事やショッピングの合間、あるいは水族館などを訪れた際に立ち寄る人も多く、サンシャインシティの様々な利用者に癒しをもたらしています。

"戸津辺の桜"や、ミニチュアハウスの花壇"サンシャインビレッジ"など見所がいっぱいです。ピクニック気分でお越しください。

（星野さん）

【DATA】所在地：豊島区東池袋3-1 専門店街アルパ屋上　　☎：03-3989-3331
　　　　アクセス：東京メトロ有楽町線「東池袋駅」より徒歩約3分、各線「池袋駅」
　　　　より徒歩約8分　　OPEN：5:00〜24:00、年中無休

77

水戸の名君に縁ある、中国趣味を取り入れた日本庭園

③ 小石川後楽園 Koishikawa Korakuen Gardens

水戸徳川家が江戸の中屋敷の庭としてつくった小石川後楽園。完成したのは水戸黄門でおなじみの徳川光圀公の時代です。光圀公は、明から亡命した儒学者朱舜水を江戸に招き、儒学や礼法、新しい造園技術を学びました。小石川後楽園の中国趣味豊かな景観や、『岳陽楼記』の「先憂後楽」に因む園名からもその影響を見て取ることができます。国の特別史跡・特別名勝に指定された名園です。

【DATA】 所在地：文京区後楽1-6-6
☎：03-3811-3015
アクセス：都営線「飯田橋駅」より徒歩約3分
OPEN：入園料300円、9：00〜17：00、年末年始休園

2015年に生まれた、緑に囲まれる新しい庁舎

④ 豊島区新庁舎
New Toshima City Office

新国立競技場を担当した建築家 隈研吾氏が建築デザインを担当した豊島区の新庁舎。庁舎10階には屋上庭園『豊島の森』があり、せせらぎやビオトープ、荒川水系に暮らす生きものが観察できる大きな水槽など、自然の魅力を楽しめるコンテンツが満載です。環境教育の場としても活躍しています。また、建物の周囲も草木や壁面緑化で囲まれ、今や"緑の区役所"ともいうべき豊島区の名所となっています。

【DATA】 所在地：豊島区南池袋2-45-1 ☎：03-3981-1111
アクセス：東京メトロ有楽町線「東池袋駅」直結 OPEN：9:00〜最長19:00（季節による）、年末年始・土日以外の祝日は閉園

『睡蓮の庭』が目を惹く、水と緑と花の楽園

⑤ 西武池袋本店
9階屋上 **食と緑の空中庭園**
ROOF GARDEN

印象派の画家として名高いクロード・モネの「睡蓮」を模した池が特徴の屋上庭園です。まさに絵画の世界を再現したかのような池は、季節の花に彩られ年間を通じて華やかなムード。壁面緑化も魅力で、クリスマスローズなどの大きな花を咲かせる植物も使われており、立体的で豊かな緑に思わず目を奪われることでしょう。飲食店が多くベンチもたくさんあるので、ぜひ美味しい料理を味わいながら優雅なひとときを!

「睡蓮の庭」の水面には睡蓮が植樹されており、池に架かる太鼓橋付近にはバラなど、四季折々に変化する草花でムードと華やかさを演出しています。(屋上コンシェルジュ 林理恵さん)

庭園担当者から一言

【DATA】 所在地：豊島区南池袋1-28-1 ☎：03-3981-0111 (大代表)
アクセス：各線「池袋駅」より徒歩約2分 (駅ビル屋上)
OPEN：10:00～20:00、不定休

東大の教育実習施設を、植物園として一般公開

⑥ **小石川植物園** Koishikawa
Botanical Garden

正式名称は東京大学大学院理学系研究科附属植物園。その名の通り、植物学の研究・教育を目的とする東京大学の施設です。前身となるのは、約320年前に徳川幕府によってつくられた「小石川御薬園」で、実は非常に歴史の深い植物園。16ヘクタールを超える広大な敷地に広がる深い森の中には、ニュートンのリンゴやメンデルのブドウなどの学術的価値の高い植物が大切に保管されています。秋には写真のようにヒガンバナが美しく開花。また、毎年多くの野鳥も訪れる自然豊かなスポットです。

【DATA】 所在地：文京区白山3-7-1
☎：03-3814-0138
アクセス：都営三田線「白山駅」より徒歩約10分ほか
OPEN：入園料500円、9:00～16:30、月曜・年末年始休園

小高い築山と広い池をもつ、明るく開けた日本庭園

⑦ 六義園 りくぎ Rikugien Gardens

都立9庭園の1つ。江戸幕府5代将軍 徳川綱吉に仕えた柳澤吉保が自ら設計し、造園を指揮したという名庭園です。豊かな樹々に囲まれていますが、広々とした池と芝生もあって開放的な空間となっています。高い築山や茶室など魅力の多い六義園ですが、最大の見所は春に開花する巨大なシダレザクラ。まるでピンク色の滝が流れ落ちるかの如く、満開期には大迫力のサクラ風景を描き出し、誰もが目を奪われることでしょう。夜間には夜桜のライトアップなども実施されます。

【DATA】 所在地：文京区本駒込6
☎：03-3941-2222
アクセス：各線「駒込駅」より徒歩約7分
OPEN：入園料300円、9:00〜17:00、年末年始休園

理化学研究所跡地を彩る、豊かな緑の空間

⑧ 文京グリーンコート
Bunkyo Green Court

六義園に近接する複合施設で、さまざまなレストランやショップなどがテナントに入っています。かつてここには1948年まで理化学研究所（理研）の研究施設があり、世界で初めて原子模型を発表した長岡半太郎博士や、鈴木梅太郎博士、仁科芳雄博士など、世界的にも有名な研究者がここに集っていました。現在は草木の茂る静かなオープンスペースの一角に、当時の様子を伝えるプレートが設置されています。

【DATA】 所在地：文京区本駒込2-28-8　☎：03-5976-1711（平日9:00〜17:00）　アクセス：都営三田線「千石駅」より徒歩約3分、各線「駒込駅」より徒歩約10分　OPEN：日中

和と洋が調和する大正の庭園

⑨ 旧古河庭園　Kyu-Furukawa Gardens

銅山業で財を成した古河家三代目当主 古河虎之助の邸宅とし
て造られました。ここにはバラの花に彩られた洋風庭園と、日
本の四季の移ろいを体感できる情緒ある日本庭園が両方存在し、
それぞれが確かな存在感を放ちつつも、不思議と調和していま
す。洋風庭園はシンメトリックなデザインで、イタリアとフランス
の両方の庭園の要素を取り入れた独特の雰囲気。一方で日本
庭園には10メートル以上の高さから水の落ちる大滝や、逆に水
を使わない枯山水の滝版ともいうべき「枯滝」などを有します。

【DATA】 所在地：北区西ヶ原1　☎：03-3910-0394
アクセス：JR「上中里駅」または東京メトロ「西ヶ原駅」より
徒歩約7分
OPEN：入園料150円、9：00～17：00、年末年始休園

ケヤキの巨木が見下ろす、花と緑いっぱいの園芸専門店

⑩ 渋谷園芸練馬本店 欅の森
Shibuyaengei gardening store Keyaki-no-mori

練馬の閑静な住宅街に位置する園芸専門店で、敷地内は
様々な花々に囲まれた心地よい空間。シンボルツリーであり、
名前の由来にもなっているケヤキの巨木は、樹齢約100年
にもおよびます。真下から見上げると、あまりの存在感に圧
倒されてしまいそう。自然の偉大さを実感します。ショップ
では季節の花の鉢植えなどのほか、南方系の植物を集めた
温室もあり、ラインナップが豊富です。

【DATA】 所在地：練馬区豊玉中4-11-22　☎：03-3994-8741
アクセス：西武池袋線・都営大江戸線「練馬駅」より徒歩約10分
OPEN：Webサイト参照

【DATA】 所在地：北区王子1-1-3　　☎：03-3908-9275　　アクセス：JR「王子駅」または都電「飛鳥山駅」「王子駅前駅」より徒歩約1分　OPEN：終日公開、年中無休（渋沢庭園は3〜11月は9:00〜16:30、12〜2月は9:00〜16:00）

江戸庶民のためにつくられた伝統的な花見の名所

11 飛鳥山公園 （あすか） Asukayama Park

江戸に暮らす庶民がサクラ見物を楽しめる場所として、8代将軍徳川吉宗が整備・造成した公園。すなわち江戸時代から続く歴史あるお花見スポットです。現在でもサクラの名所としてよく知られ、春には新緑と共に満開のソメイヨシノが出迎えてくれます。入口には飛鳥山山頂まで登れるモノレール（無料）があるため、足腰に自信のない方も安心。所々に灯篭や石垣があるほか、佐久間象山の記念碑や、渋沢栄一の邸宅跡地である旧渋沢庭園など、歴史を感じさせる要素が残されているのも特徴です。

石神井公園に隣接する、開放的で華ある広場

12 石神井松の風文化公園
Shakujii Matsu-no-kaze Culture Park

2014年に日本銀行の運動場跡地に生まれた公園。『石神井公園ふるさと文化館』の分室があり、練馬区に縁のある文化人などが紹介されています。広々とした芝生の広場も目を惹きますが、春、特に注目してほしいのがツツジの花咲く『花と木立の広場』。緩やかな傾斜のある広場には、練馬区と交流の深い3つの市町から寄贈された「友好のつつじ」を始め、色鮮やかなツツジが咲き乱れます。

【DATA】 所在地：練馬区石神井台1-33-44　　☎：03-5372-2455　アクセス：西武池袋線「石神井公園駅」南口より徒歩約15分　OPEN：年末年始休園（開園時間はWebサイト参照）

練馬の名所。2つの大きな池と森が織りなす公園

⑬ 石神井公園　Shakujii Park

石神井公園は、隣り合った三宝寺池と石神井池という2つの池を中心に、雑木林の広がる自然豊かな公園です。池にはカワセミやカイツブリ、サギの仲間、渡りのカモなどの水鳥が多く訪れ、トンボをはじめとした昆虫の姿も数多く見られることでしょう。そのほかにも、貴重な湿地性植物の自生地として国の天然記念物に指定されている沼沢植物群落など、草花の見所もたくさん。広い公園ですので、1日かけてゆっくりと散策をお楽しみいただけます。

【DATA】 所在地：練馬区石神井台1・2、石神井町5
　　　　☎：03-3996-3950
　　　　アクセス：西武池袋線「石神井公園駅」より徒歩約7分
　　　　OPEN：終日、年中無休

植物学者 牧野富太郎博士の自宅跡を庭園として公開

⑭ 練馬区立牧野記念庭園
Makino Memorial Garden

日本の植物分類学の父とされ、多大な功績を残した牧野富太郎博士の自宅跡地を、緑豊かな庭園として整備し、1958年より一般公開しています。園内には博士が発見し、妻の名をとって命名したスエコザサをはじめ、日本で最大級のセンダイヤ（サクラ）、ヘラノキなど300種類を超える植物が生育しています。記念館では博士が採集した植物標本や、著書、顕微鏡などを展示しています。

【DATA】 所在地：練馬区東大泉6-34-4　☎：03-3922-2920、03-6904-6403（記念館）
　　　　アクセス：西武池袋線「大泉学園」駅「南口」より徒歩約5分　OPEN：9:00～17:00、
　　　　火曜（火曜が祝休日の場合は直後の祝休日でない日）および年末年始は休園

キーワードで巡る豊島、文京、北、練馬区エリア

（画像出典／＊1＝国立国会図書館デジタルアーカイブス、＊2＝緑と水の市民カレッジ 東京グリーンアーカイブス）

飛鳥山
花見の宴（＊1）

豊島、北、文京、練馬区の地形

練馬大根：
将軍綱吉が尾
張から取り寄せ
た種で広めた細
長い大根

1／1960年代の新
江戸川公園（＊2）
2／雑司ヶ谷霊園：
永井荷風墓
3／江戸・明治期
に菊細工の見世物
で賑わった団子坂
4／無縁坂。左は
旧岩崎邸庭園

このエリアのタウンスケープを読み解くキーワードは「**武蔵野**」「**街道**」「**飛鳥山**」「**東京伝統野菜**」「**台地と坂**」です。

武蔵野の風景が広がる豊島台・本郷台に位置しているこのエリアは、江戸期から近郊農業地帯として、練馬大根、滝乃川ごぼう、雑司ヶ谷なすをはじめ各種の東京伝統野菜を江戸市中に供給してきました。石神井川と神田川に挟まれた本郷台の背骨には中山道が通り、本郷追分で枝分かれして、歴代将軍が日光を参拝する日光御成道（岩槻街道）が、六義園から旧古河庭園、飛鳥山の台地を通過して石神井川の渓谷等の行楽地・王子から岩槻、日光へ向かいます。飛鳥山は将軍吉宗が行楽地を開設し、明治最初の公園の一つとなりました。飛鳥山公園に隣接してあった渋沢栄一晩年の邸宅は、現在渋沢史料館となっています。隣には北区飛鳥山博物館、紙の博物館があります。

江戸期の本郷台は、庭園都市・江戸を彩った園芸植物の生産で、世界の園芸センターと言われた植木の里・染井、巣鴨が発展した場所でした。明治期には本郷台の田端駅周辺では、陶芸家の板谷波山が窯を開き、室生犀星、萩原朔太郎、芥川龍之介、竹下夢二、菊池寛、サトウハチローなど多くの芸術家や文士が居住し、田端文士村と呼ばれ、駅前には田端文士村記念館があります。この本郷台の東側は、坂道が多い街です。湯島天神と切通坂、旧岩崎邸庭

園の北側には森鴎外の「鴈」の主要舞台、昭和50年代、さだまさしの歌「無縁坂」の舞台となった無縁坂、根津神社と権現坂と並んで、その北側の「団子坂」は菊人形などの見世物が立ち並んだ江戸園芸菊細工展示の故郷でした。近くには夏目漱石旧居跡、森鴎外記念館が往時を偲ばせます。台地西側に降りると、団子坂の菊人形づくりための菊の栽培が盛んな場所であったことから名づけられた「菊坂」に沿い、樋口一葉、宮沢賢治、坪内逍遥居住跡、文京ふるさと歴史館、小石川後楽園へと進みます。

茗荷谷方向に歩くと、将軍吉宗が開いた小石川療養所跡の東京大学付属小石川植物園、南に進み神田川沿いには元熊本藩細川家の下屋敷跡の新江戸川公園、目白台には山縣有朋の椿山荘などの元大名庭園、明治の富豪、偉人ゆかりの公園等が並び、閑静な住宅地を形成しています。さらに北に目白台を進むと、江戸東京ゆかりの永井荷風、小泉八雲、東郷青児、市川左団次等文人、芸術家たちが眠る都立雑司ヶ谷霊園、護国寺も近く、その北の豊島台にある池袋は新や渋谷に比べて主要な街道もなく、駅ができたのが遅く明治36年（1903）のこと。戦後発展したのが池袋の街です。東口には水族館があるサンシャインのビルがそびえ、西口には築地で誕生した立教大学、文化施設としては東京芸術劇場、豊島区の郷土資料館があります。

エリア別に東京の"緑力"を探す
花と緑のまち歩き

8

品川区
目黒区
世田谷区

花と緑の まち歩き 8

品川区 目黒区 世田谷区

1. 御殿山トラストシティ
2. ThinkPark Forest
3. 目黒区総合庁舎「目黒十五庭」
4. 中目黒公園
5. 目黒天空庭園・オーパス夢ひろば
6. キューブプラザ二子玉川
7. 玉川高島屋ショッピングセンター
8. 二子玉川ライズ
9. 二子玉川公園
10. 等々力渓谷公園
11. 経堂コルティ

玄関口 品川から人気の二子玉川まで 東西に連なる城南エリアを歩く！

「城南エリア」と呼ばれるこの一帯は、都心部へのアクセスはもちろん、郊外エリアへの移動がスムーズなのが特徴です。人気の二子玉川周辺などを中心として高級住宅街が集中していますが、一方で公園や街路樹なども整備されているため、自然豊かな環境が楽しめる町としての側面も持っています。

代表的なスポットは、"庭園と暮らすウェルネスシティ、豊かな時間が育む、まちとひと"をテーマとした御殿山トラストシティ。都会を忘れさせてくれる豊かな緑

と心地よい「風」を感じる ThinkPark Forest。季節に沿ったテーマで散策とゲーム・クラフトが楽しめる玉川高島屋ショッピングセンター。そして多摩川の風景を満喫しつつ、多世代が豊かに暮らせる新しい街 二子玉川ライズなど、魅力的なスポットがあちらこちらに散りばめられています。

1人でのんびり散策するもよし、家族や仕事仲間と一緒に過ごすもよし。都心にいながらにしてリフレッシュできる緑あふれる空間へ、お散歩に出かけてみませんか。

開けた草原に現れるトノサマバッタ。緑色が多いですが、褐色の個体もいます。多摩川沿いや中目黒公園でよく見られます。

"遊・働・住・憩" の融合する新しい街へ

 御殿山トラストシティ
Gotenyama Trust City

御殿山トラストシティのコンセプトは "庭園と暮らすウェルネスシティ、豊かな時間が育む、まちとひと"。ホテルにオフィスビル、マンション、そして四季折々の花と緑に彩られて水辺も有する庭園『御殿山庭園』が共存する街です。庭園の面積は約5,000㎡。都市公園さながらの恵まれた緑地を散策しつつ、ショッピングやお食事を楽しめることでしょう。休日にゆったりと1日滞在したくなるような心地よいスポットです。

【DATA】 所在地：品川区北品川4-7-35　☎：03-5473-2848
アクセス：京浜急行「北品川駅」より徒歩約5分、各線「品川駅」より徒歩約10分　OPEN：終日公開、年中無休 ※御殿山庭園は7:00〜19:00

山野草の美しい遊歩道を、心地よい風が抜ける

 ThinkPark Forest
ThinkPark Forest

大崎駅の目の前に位置するビルの敷地には、緑に包まれた散策路が……。ここは『風の道』と名づけられており、東京湾からの風が町へと流れ込むように綿密に計算して設計されたものです。程よい風の吹く快適な散策路には、1万本以上の樹木のほかにキキョウやスズランなどの下草も多く、雑木林さながらのナチュラル感に満ちた雰囲気が楽しめます。テラス席のある飲食店が隣接しているのもうれしいポイントです。

【DATA】 所在地：品川区大崎2-1-1
アクセス：JR「大崎駅」より徒歩約1分
OPEN：終日公開、年中無休

バリエーション豊富な、区役所庁舎の屋上庭園

③ 目黒区総合庁舎「目黒十五庭」
Meguro City Office "Meguro-tohgo-tei"

屋上緑化の普及啓発を目的につくられた、庁舎の屋上庭園です。限られた面積ながらも、緑化のスタイルごとに6つのエリアに区分けされているのが特徴。屋上緑化に適した新種の植物をはじめ、セダム、芝生（キッズパーク）、野菜畑、和風庭園など、まさしくここは屋上緑化の見本園です。屋上緑化を実施する際のご参考に、また広いみどりと季節を楽しみに訪れてみましょう。

【DATA】 所在地：目黒区上目黒2-19-15　☎：03-5722-9359　アクセス：東急東横線・東京メトロ日比谷線「中目黒駅」より徒歩約5分　OPEN：開庁日の9：00〜16：30(天候・管理作業等により庭園に入れないことがあります)

【DATA】 所在地：目黒区中目黒2-3-14
☎：03-5722-9775
アクセス：各線「中目黒駅」より徒歩約12分
OPEN：終日公開、年中無休

目黒川沿いの都市公園は、自然も花もいっぱい

④ 中目黒公園　Nakameguro Park

サクラの名所として有名な目黒川に隣接する、住宅街の中にある公園です。開園以来、目黒区民の皆さんが公園ボランティアとして維持管理に努められているこの公園は、子供達が思い切り遊べる広場が多い一方、ビオトープや池も設けられており、チョウやトンボなどの昆虫、野鳥も訪れる自然いっぱいの公園となっています。季節ごとの花が咲く花壇も美しく、幅広い年齢層がゆったり過ごせるスポットと言えるでしょう。園内には『花とみどりの学習館』があり、植物についての様々な情報が得られます。

大橋ジャンクションの屋上を公園に転換!

5 目黒天空庭園・オーパス夢ひろば
Meguro Sky Garden・O-Path YUME Square

首都高速道路と山手トンネルを結ぶ大橋ジャンクションの屋上に広がる、ドーナツ型の公園です。ゆるやかな傾斜のある敷地には、四阿や枯山水、信楽焼の大きな鉢に植えられたクロマツなど、"日本らしさ"を漂わせるコンテンツが盛りだくさん。四季折々に見所が生まれるように配慮し、草木も多彩なものが植えられています。先進的な取り組みとして、グッドデザイン賞など各賞を受賞している名園です。

【DATA】所在地:目黒区大橋1-9-2 ☎03-5722-9775 アクセス:東急線「池尻大橋駅」より徒歩約3分 OPEN:目黒天空庭園/7:00〜21:00、オーパス夢ひろば/7:00〜19:00(4〜10月)、7:00〜17:00(11〜3月)

二子玉川駅よりすぐ。お洒落なライフスタイル発信地

6 キュープラザ二子玉川
ふた こ たまがわ
Q Plaza Futakotamagawa

東急田園都市線 二子玉川駅のすぐ近くにある3階建ての商業ビルです。木材をあしらったおしゃれな外観の建物は、周囲を囲うように植えられた草木も大切なアクセント。洗練された都会感とみずみずしい自然観がちょうどバランスよくとけ合い、一際目立つビルとなっています。エントランス前には金網と石、そしてつる性の植物を組み合わせた立体的な緑化も!

【DATA】所在地:世田谷区玉川2-24-1 アクセス:東急線「二子玉川駅」より徒歩約1分 OPEN:店舗により異なる

2階層に分かれた空中庭園は国内最大級!

7 玉川高島屋 ショッピングセンター
Tamagawa Takashimaya Shopping Center

SEGES

2014年にリニューアルオープンした、日本最大級の面積を誇る大型屋上庭園です。ここは"キッズガーデン"をコンセプトとしており、開放的で子供たちが思い切り走り回れる「風と芝生の丘」やウッドデッキの広がる「風のテラス」など、オープンな雰囲気が人気です。そのほか、色々なハーブを植栽した「ハーブの小径」も魅力的。植物の数・種類どちらも豊富で、時期により親子向けの自然散策ツアーも開催しています。

大勢の子供たちが元気よく駆け回る屋上庭園、子供たちの笑顔を見るたびにパワーをもらっています!

(高橋慎史さん)

庭園担当者から一言

【DATA】所在地:世田谷区玉川3-17-1 ☎:03-3708-6143 アクセス:東急線「二子玉川駅」より徒歩4分 OPEN:10:00〜20:00(本館屋上フォレストガーデン)、本館3階ローズガーデンは21時まで、南館7階サウスガーデンは23時まで、元日休

多彩なテラス式庭園が重なる、二子玉川の新名所

⑧ 二子玉川ライズ
FUTAKO TAMAGAWA rise

二子玉川の商業・オフィスの中心として広く知られる二子玉川ライズは、駅と二子玉川公園とをつなぐ導線でもあり、自然環境と調和した緑あふれる空間に、おしゃれなデザインを両立させています。さらにテラスマーケットの3・4・5階にはそれぞれテーマの異なるルーフガーデンがあり、特に4階の『めだかの池』には実際にメダカが泳ぎ、トンボも飛来するほか、多摩川に暮らす生きものの水槽展示もされています。

【DATA】 所在地：世田谷区玉川2-21-1 ☎：03-3709-9109
アクセス：東急田園都市線・大井町線「二子玉川駅」直結
OPEN：共用部は終日公開、年中無休

解放感抜群のリバーサイドパーク。カフェも併設

⑨ 二子玉川公園 Futakotamagawa Park

2013年にオープンした、二子玉川ライズと多摩川の河川敷に隣接する公園です。高台からは多摩川の広い河川敷や、丹沢山系や富士山までが見渡せます。ゆるやかな起伏のある地形と、子供たちがのびのび遊べる芝生広場が大きな特徴。園内にはカフェもありますので、コーヒータイムを過ごすもよし、家族と一緒なら敷物を用意してピクニックを楽しむのもいいでしょう。また、世田谷区立の公園としては初めての本格的な周遊式日本庭園『帰真園（きしんえん）』も要チェックです。

【DATA】 所在地：世田谷区玉川1-16-1 ☎：03-3700-2735
アクセス：東急線「上野毛駅」より徒歩約8分、「二子玉川駅」より徒歩約9分 OPEN：終日公開、年中無休 ※帰真園は9：00〜17：00（季節により変動）、火曜・年末年始休園）

全長約1kmにおよぶ、東京23区唯一の渓谷

⑩ 等々力渓谷公園　Todoroki Valley Park

ケヤキやシラカシ、ヤマザクラなどの高い木々に囲まれた等々力渓谷は、所々から水が湧き出ており、おおよそ東京23区内とは思えないほど豊かな自然が残された名所で、東京都の名勝にも指定されています。川辺には、カワセミやサワガニなどの渓流を好む生きものも多く暮らしています。一方で入口は等々力駅からほど近く、アクセスしやすいのも嬉しいポイント。ここから渓谷を下って多摩川の河川敷まで歩き、さらにそこから二子玉川駅方面まで歩いてみるのも面白いでしょう。

【DATA】 所在地：世田谷区等々力1-22-26　☎：03-3704-4972（玉川公園管理事務所）　アクセス：東急線「等々力駅」より徒歩約3分　OPEN：終日公開、年中無休（日本庭園は3〜10月は9：00〜17：00、11〜2月は9：00〜16：30、年末年始は休園）

経堂駅を下車してすぐ。花あふれる開放的な屋上庭園

⑪ 経堂コルティ
Kyodo Corty

小田急線 経堂駅のすぐ目の前に位置する商業施設で、レストランの並ぶ地上4階に、花壇を中心とした屋上庭園が広がっています。四季によって様々な表情を見せる経堂の庭を、時にはくつろぎ空間として、時にはお子様と楽しむ空間としてご利用いただけるほか、テーブルセットの置かれた休憩スペースは、程よく直射日光を遮るルーフからのやさしい光が差し込み、憩いの場として利用され、待ち合わせなどに便利です。

【DATA】 所在地：世田谷区経堂2-1-33　☎：03-5450-2571　アクセス：小田急線「経堂駅」下車すぐ　OPEN：10：00〜23：00、年中無休

キーワードで巡る品川、目黒、世田谷区エリア

（画像出典／＊1＝国立国会図書館デジタルアーカイブス、＊2＝緑と水の市民カレッジ 東京グリーンアーカイブス）

品川・目黒・
世田谷区の地形

歌川広重の名所江戸百景『千束の池袈裟懸松』（＊1）

多摩川沿いの国分寺崖線の緑

江戸名所 目黒不動（＊1）

御殿山から品川宿、江戸湾を望む（＊1）

1930 年頃の戸越公園（＊2）

1938 年の蘆花恒春園（＊2）

このエリアのタウンスケープを読み解くキーワードは「**宿場**」「**武蔵野**」「**台地、河川**」「**御殿山**」「**崖線＝ハケ**」「**溜池**」です。

江戸時代に御府内のフリンジに位置していたこのエリアには、海岸沿いに2kmも伸びる東海道の最初の宿場「品川宿」がありました。海が近く海苔の生産が盛んでしたが、現在は、東京湾側に大井ふ頭、羽田空港等の埋立地の風景が広がっています。海から陸を振り返ると、目黒、荏原台には武蔵野の風景が広がっていました。明治40年、武蔵野の雑木林を好み、自らを“美的百姓”と呼ぶ徳富蘆花が千歳村粕谷に移転し、居住。没後には昭和13年（1938年）に都立「蘆花恒春園」として開園しました。近くには「世田谷文学館」と京王線芦花公園駅があります。

さて、目黒川河口部の北側「高輪台」には、将軍吉宗ゆかりの桜の名所「御殿山」があり、品川宿と江戸湾が眺望できました。春を彩る目黒川の桜は2kmほど続き、川沿いには目黒区美術館、目黒台にはかつて大名屋敷が配置され、戸越公園（肥後細川家の下屋敷等）や大井公園（仙台藩伊達家下屋敷跡）でその面影を偲べます。目黒雅叙園、江戸の庶民の信仰、行楽地としてにぎわった江戸五色不動の一つである「目黒不動」や、林試の森公園も近くにあります。立会川の南の「荏原台」には、かつて農業用の溜池であっ

た碑文谷公園の池と、洗足公園の池が現在も残っています。江戸の名所・洗足池には勝海舟が晩年居住した関係から、令和元年9月に勝海舟記念館が開館しています。この台地の南端にある池上本門寺には、勝海舟と西郷隆盛が江戸城明け渡しの会談をした、小堀遠州作庭と伝わる松濤園があります。また、荏原台には大正初期から昭和初期にかけて多くの芸術家や作家が移り住み、「馬込文士村」と呼ばれ、JR大森駅西口にある文士たちのレリーフで往時を偲べます。

このエリアの南側を特色づけるのが、多摩川沿いに立川段丘から続く「国分寺崖線（ハケ）」風景で、田園調布あたりまで延び、湧水と緑のゾーンを形成していることです。このハケ沿いの台地に、三菱の岩崎弥之助・小弥太が収集した古美術、資料館・静嘉堂文庫が、その裾に岡本公園民家園があります。東急線が走る「田園調布台」に広がる田園調布は、渋沢栄一が晩年に構想・事業化した街で、南の先端部、多摩川沿いに古墳のある多摩川台公園があります。北には砧公園や世田谷美術館、下流に進むと23区内で唯一の渓谷である等々力渓谷が見られます。ここから北側へ進むと、1964年の東京オリンピックで建設された駒沢オリンピック公園の緑に誘い込まれます。TOKYO2020では、ここが東京の聖火リレーのスタート地点となります。

9

中央線沿線（23区外）

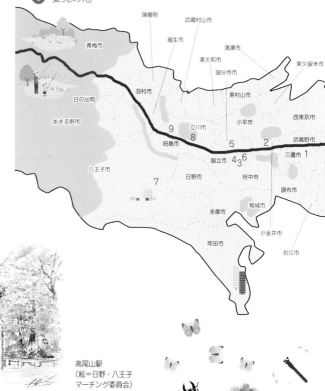

花と緑の まち歩き 9

23区外 中央線沿線

1. 井の頭恩賜公園
2. nonowa 武蔵小金井 MUSAKO GARDEN
3. お鷹の道
4. 武蔵国分寺公園
5. 姿見の池
6. 殿ヶ谷戸庭園
7. セレオ八王子
8. 国営昭和記念公園
9. 昭島昭和の森 モリパークアウトドアヴィレッジ

高尾山駅
(絵＝日野・八王子
マーチング委員会)

23区から高尾山・奥多摩までをつなぐ中央線
駅のすぐそばに、見逃せない緑スポットがたくさん！

　教育機関が集中する中央線沿線には、緑のスポットや湧水地が多く、豊かな自然が残るエリアです。地形に目を向けてみると、武蔵村山市から田園調布まで続く連続的な崖「国分寺崖線」が際立ち、崖線の下には「ハケ」とよばれる湧水スポットが点在しています。

　また、ここでは紹介できませんでしたが、日本さくら名所100選にも選定された東京有数の桜の名所である小金井公園。そして国の指定を受けており、1737年に植えられたヤマザクラが中心となっている玉川上水の堤の桜並木（通称 小金井桜）など、人気の高いお花見スポットもあり、春には毎年大変賑わいます。一方で、音楽や喫茶店文化をはじめ、独特なカルチャーシーンを形成している面白いエリアでもあります。ジャズ好きな大人が集うジャズバーや、クラシック音楽をゆったりと楽しめる喫茶店などが集まっているのも大きな特徴です。利便性と自然あふれる住環境とのバランス、そして独特なカルチャーシーンに惹かれて、緑に囲まれた心地よい風を体感しましょう！

　余談ですが、国立市の名前の由来は、国分寺市と立川市のちょうど間にあるから。案外単純なものだったりします（笑）。

豊かな緑と清らかな水を有するこのエリアには、武蔵野の里山に暮らす都会ではちょっと珍しい生きものも！（写真はキイトトンボ）

神田上水の源を有する、水と緑の公園

井の頭恩賜公園

Inokashira Park

1917年（大正6年）に日本で最初の郊外公園として誕生した歴史ある公園です。東西に長く広がる広大な『井の頭池』は、春になると水面を覆わんばかりに満開となった桜で彩られる絶好のお花見スポット。神田川の源流にもなっており、多くの水鳥や昆虫などの暮らす場にもなっています。また、高台となっている御殿山は、一転して武蔵野の原風景を思わせる雑木林エリア。ゆったりと森林浴を楽しめます。

【DATA】 所在地：武蔵野市御殿山1、吉祥寺南町1、三鷹市井の頭3・4・5 ほか
☎：0422-47-6900　アクセス：各線「吉祥寺駅」より徒歩約5分、京王井の頭線「井の頭公園駅」より徒歩約1分　OPEN：終日開園、年中無休

鉄道の高架下も、心安らぐ空間に

nonowa武蔵小金井 MUSAKO GARDEN

nonowa Musashi Koganei MUSAKO GARDEN

JR中央線「武蔵小金井駅」西側に位置する、通称「MUSAKO GARDEN」。飲食店や野菜の直売店などの様々なお店を緑美しい遊歩道が繋いでいます。お客様だけでなく、地域の皆様の毎日の散歩も楽しくなるよう、多摩・武蔵野に自生している草花など100種類以上の植物を使用し、緑あふれる空間を感じながら歩いていただけるような工夫をしています。

【DATA】 所在地：小金井市本町5-1-18
アクセス：JR「武蔵小金井駅」西側高架下
OPEN：終日公開、年中無休

名水百選にも選ばれた湧水と、小川プロムナード

お鷹の道

Otaka-no-Michi Path

「お鷹の道・真姿の道湧水群」として全国名水百選にも指定されている、美しい湧水が魅力的な小川沿いの散策路です。周りの雑木林は下草を適宜刈り取ってよい状態を維持しており、夏にはトンボなどが舞う姿も見かけます。透明度の高い水と、野趣に満ちた石造りの護岸、そして木々、色々な要素がとけ合って心地よい散策路を形作っています。また、真姿の池湧水群は、野川の源流の1つです。

【DATA】 所在地：国分寺市東元町3、西元町1　☎：042-325-0111
アクセス：JR「西国分寺駅」より徒歩約12分、国分寺駅より徒歩約15分
OPEN：終日公開、年中無休

【DATA】所在地：国分寺市泉町2、西元町1　☎：042-323-8123
アクセス：JR「西国分寺駅」より徒歩約7分、JR「国分寺駅」より徒歩約10分　OPEN：終日公開、年中無休

武蔵野の原風景と、開放的な水風景のある公園

 4 ## 武蔵国分寺公園　Musashi Kokubunji Park

南北に分かれた大きな芝生広場を中心に、滝のある池や藤棚などを設けた開放感いっぱいの公園です。ベンチに配したパラソルや近くに配置されたドライミストは、暑い夏の心強い味方。花壇を彩る花々も魅力的です。一方で武蔵野らしい雑木林の雰囲気も大切にしており、園内南側には野生生物の保全エリア『野鳥の森』が。ここにはキツネノカミソリなどの山野草も自生しています。また、昆虫等のためにあえて草を刈り残したり、枝を積み上げて小動物の棲み処をつくったり、生物多様性への配慮も欠かしません。

武蔵野の雑木林に囲まれた静かな池

 5 ## 姿見の池
Sugatami-no-ike Pond

武蔵野台地の南西の端に位置する池で、住宅街の真っ只中という立地ながら、武蔵野ならではの雑木林が今なお残る自然豊かなスポットです。アマナやミソハギなどの花が咲くほか、池にはカワセミが姿を現すことも。現在は東京都により緑地保全地域に指定されています。池の名前は、かつて鎌倉時代に遊女達が朝な夕なにここで自らの姿を映して見ていたという伝承に由来しています。

【DATA】所在地：国分寺市西恋ヶ窪1-8-7　☎：042-325-0111
アクセス：JR「西国分寺駅」より徒歩約8分
OPEN：終日公開、年中無休

崖線の地形を利用した回遊式林泉庭園。山野草も豊富

⑥ 殿ヶ谷戸庭園 Tonogayato Garden

大正初期に整備され、後に三菱財閥の岩崎家の別荘となるも一時は開発により消滅の危機にさらされたこともある殿ヶ谷戸庭園。庭園を守りたい地域住民の働きかけもあり、昭和49年に東京都の下で有料庭園として開園しました。都立9庭園の1つで唯一23区外に位置し、アップダウンの激しい武蔵野ならではの地形を、整地せずにあえて巧みに利用し、かつての豊かな原風景を再現しているのが特徴。春のカタクリやシライトソウを始め、季節ごとにさまざまな山野草が観察できます。

【DATA】　所在地：国分寺市南町2
　　　　　☎：042-324-7991
　　　　　アクセス：各線「国分寺駅」より徒歩約2分
　　　　　OPEN：入園料150円、9：00〜17：00、年末年始休園

貸菜園もある、駅ビル屋上のガーデン

⑦ セレオ八王子
CELEO Hachioji

八王子駅の駅に直結するセレオ八王子の屋上には、広々とした会員制貸菜園「ソラドファーム」が。ここではスタッフのサポートの下、四季を通じて約100種の野菜が育てられています。屋上には他にも、さわやかな香りに心安らぐハーブガーデンや、デッキと花壇の組合せがおしゃれなガーデンテラス、テーブルセットのあるレストスペース、そしてフットサルコートなどが設けられています。

【DATA】　所在地：八王子市旭町1-1　☎：042-686-3111
　　　　　アクセス：JR「八王子駅」直結
　　　　　OPEN：店舗営業時間に準ずる

キバナコスモス'レモンブライト'

日本庭園内盆栽苑

こもれびの里

【DATA】 所在地：立川市、昭島市　：042-528-1751
アクセス：JR青梅線「西立川駅」より徒歩約2分 ほか
OPEN：入園料 大人450円（中学生以下無料）、開園日時は
Webサイト参照

自然も、花畑も、イベントも……魅力満載の国営公園

⑧ 国営昭和記念公園　Showa Kinen Park

昭和天皇御在位50周年を記念して造られた国営公園です。公園中央にあるみんなの原っぱには、公園のシンボルツリーである大ケヤキのほか、周辺には、チューリップやナノハナ、コスモスなどの季節の花畑が広がり、一年を通してお楽しみいただけます。おすすめは日本庭園にある盆栽苑。歴史と伝統ある国風盆栽展クラスの盆栽を鑑賞することができます。また、水田や畑、農家と屋敷林など、昭和30年代の武蔵野の農村風景や暮らしを再現したこもれびの里も、のどかで懐かしい雰囲気で人気のスポットです。

駅近でアウトドアの魅力を体験・体感

⑨ 昭島 昭和の森　モリパークアウトドアヴィレッジ
MORIPARK OutdoorVillage

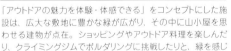

「アウトドアの魅力を体験・体感できる」をコンセプトにした施設は、広大な敷地に豊かな緑が広がり、その中に山小屋を思わせる建物が点在。ショッピングやアウトドア料理を楽しんだり、クライミングジムでボルダリングに挑戦したりと、緑を感じながら1日を過ごせます。芝生の広場では、季節のイベントやワークショップも開催しています。

切り株やウッドチップの散策路を歩くと、まるで森にいるような感覚を体感していただけます。

庭園担当者から一言

【DATA】 所在地：昭島市田中町610-4　☎：042-541-0700
アクセス：JR「昭島駅」より徒歩約3分　OPEN：11:00～20:00
（土日祝は10:00～20:00）、水曜休（祝日の場合は翌日休み）

10

東京都外の SEGES 登録 サイト

東京都以外の SEGES 登録サイト

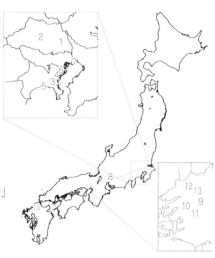

1. コクーンシティ
2. 生活の木 メディカル ハーブガーデン薬香草園
3. サカタのタネ 本社
4. キリンビール横浜工場
5. BRANCH 茅ヶ崎 1,2
6. グランツリー武蔵小杉 ぐらんぐりんガーデン
7. 順天堂大学医学部付属 浦安病院 ポケットパーク
8. ノリタケの森
9. 新ダイビル 堂島の杜
10. なんばセントラルプラザ リバーガーデン
11. なんばパークス パークスガーデン
12. 「新・里山」「希望の壁」
13. 大阪ステーションシティ
14. キャナルシティ博多

緑豊かな、さいたま新都心の大型ショッピング施設

1 コクーンシティ
COCOON CITY

さいたま新都心駅前の270店舗超からなる大型商業施設です。公園のように人が集まる心地よい場所でありながら、マーケットや広場のように、賑やかでそぞろ歩きが楽しい場所でありたいとする "PARK MALL"（パーク・モール）というコンセプトのもと、施設を開発・運営しています。施設の周囲には、広場や個性的なガーデンを配したストリートを整備し、まるで公園を散策するような感覚でショッピングを楽しむことができます。

訪れるたび、移り変わる草花に季節を感じるなど、一年を通して散策を楽しめます。
（片倉工業株式会社 岡田奈穂さん）
 庭園担当者から一言

【DATA】 所在地：埼玉県さいたま市大宮区吉敷町4-263-1　☎：048-601-5050(代)
アクセス：JR「さいたま新都心駅」東口すぐ、JR「北与野駅」より徒歩約8分
OPEN：植栽部分は終日公開（施設定休日等は要問合せ）

多彩なハーブを「見て」「触って」「体験する」

2 生活の木 メディカルハーブガーデン 薬香草園
Medical Harb Garden, Yakkōsōen

閑静な飯能市の住宅街にある、メディカルハーブに特化したハーブの複合施設。年間を通して、約200種のハーブをお楽しみいただけます。見学するだけでなく直接葉っぱや花に触れて香りを楽しめるのもポイント。建物にはオーガニックハーブやアロマテラピー関連商品を扱うショップ、ハーブを生かした料理を楽しめるレストランやベーカリーも併設。また、ガーデンで収穫したハーブを蒸留する講座も開催されています。

インスタグラムでもガーデン開花情報や最新のイベント情報などを発信しておりますので、ぜひチェックしてみてくださいね。
（髙橋真紀さん） 庭園担当者から一言

【DATA】 所在地：埼玉県飯能市美杉台1-1　☎：042-972-1787
アクセス：西武池袋線「飯能駅」よりバス乗車、「美杉台小学校」下車（目の前）　OPEN：10:00〜18:30、月曜休（祝祭日以外）

【DATA】所在地：神奈川県横浜市都筑区仲町台2-7-1
アクセス：横浜市営地下鉄「仲町台駅」より徒歩約5分　　OPEN：終日
公開・年中無休（温室は9:00〜16:00 土日祝・年末年始は休）

自社技術を活かした、季節感と華のある空間

③ サカタのタネ 本社
SAKATA SEED CORPORATION

日本を代表する大手種苗会社 ㈱サカタのタネの造園・緑化技術は、本社の緑地でもふんだんに活かされています。年間を通じて一般公開されており、本社営業日であればガラスハウスの中を見学することもできます。1995年の本社移転時に植栽された巨大なメタセコイアや、水・緑・花を巧みに融合させた庭園風景など、見所は満載。花やタネのプロならではの演出は、お庭づくりの参考にもなるかも？

庭園担当者から一言

敷地内に植えた約70種の樹木とともに、当社が開発したオリジナル品種の草花を花壇やガラスハウスで多数ご覧いただけます。
（阿保武秀さん）

ピオトープで癒され、お酒と料理で満たされる

④ キリンビール横浜工場
KIRIN Yokohama Factory

キリンビールの横浜工場には、なんと敷地内にピオトープが設けられていて、試飲を楽しめる見学ツアーに加えて、自然散策ツアーも実施されています。キリンビールが長らく行っている環境貢献の取り組みを、わかりやすく楽しく学べるよい機会です。ピオトープの見学ツアーは3〜6月、9〜10月の毎週日曜日開催です（要予約）。

庭園担当者から一言

四季折々に花が咲き、それらに誘われて様々な昆虫や野鳥がやってきます。夏頃にはビールづくりに欠かせないホップも見られます。
（荒本万梨加さん）

【DATA】所在地：神奈川県横浜市鶴見区1-17-1　☎：045-503-8250
アクセス：京浜急行「生麦駅」より徒歩約10分　JR「新子安駅」より
徒歩約20分　　OPEN：月曜および年末年始休

【DATA】所在地：神奈川県茅ヶ崎市浜見平11-1、3-1
アクセス：JR「茅ヶ崎駅」よりバス乗車、「団地中央」で下車し徒歩約1分
OPEN：1は7:00〜21:00、2は9:00〜23:00、年中無休

巨大な壁面緑化は地域のシンボル！

⑤ BRANCH 茅ヶ崎 1,2
Branch Chigasaki 1,2

神奈川県の「環境共生都市づくり事業」第21号として、2015年秋に誕生した商業施設。道路からはっきり見える大規模な壁面緑化が見どころです。施設を囲う広場にも草木が植えられ、自然な雰囲気を演出。この緑道は「川の流れ」をモチーフとしていて、水際を歩くかのような心地よさを感じます。2017年春には、目の前に2号店がオープン。浜見平エリアのランドマークとして、今後のさらなる発展が期待されます。

庭園担当者から一言

浜見平交差点に中心に南北に施設があり、どちらでも緑鮮やかで大きな壁面緑化が見られます。2F「ふれあいデッキ」では多彩な季節のイベントを多数開催。ぜひお越しください。

緑の島々を渡り歩きながら思い切り遊べる

⑥ グランツリー武蔵小杉 ぐらんぐりんガーデン
GRAND GREEN GARDEN

"都会の中の家族のオアシス"を目指す、エリア最大級の商業施設。屋上庭園「ぐらんぐりんガーデン」は「PLAY&JOY」「RELAX」「EAT&FLAVOR」と趣の異なる3つのゾーンに分かれていて、あらゆる年齢層や立場の人々を受け入れてくれます。植物もそれぞれのゾーンに合ったものを厳選して植栽しているほか、天然木を使ったベンチや木製遊具などもたくさん。子供たちにとっては、自然にふれながら遊べる最高の環境です。

多くのお客様に愛されている癒しの空間です。お買い物がてら、またお一人でくつろぎたい時もぜひご利用ください。
（野口桃那さん）

【DATA】 所在地：神奈川県川崎市中原区新丸子東3-1135-1　☎044-411-7111
アクセス：各線「武蔵小杉駅」より徒歩約4分
OPEN：夏期10:00〜18:00　冬期10:00〜17:00、年中無休

病院のエントランスを、四季を感じる空間に

⑦ 順天堂大学医学部附属浦安病院 ポケットパーク
Juntendo University Urayasu Hospital

やや固いイメージのある病院の入口前を、パブリックスペースとして広く一般に公開! ヤマザクラやヤマボウシなどの樹木がたくさん植えられており、殺風景になりがちな病院の外観に花と緑のエッセンスを加えて、優しく自然風に彩っています。もちろん病院利用者にとってもうれしい癒しのスポット。病院の中にカフェがあり、さらにベンチも設置されているので小休止にはピッタリです。ヤマザクラの開花する春が特におススメ!

季節毎に見ごろを迎える草花が患者さんだけでなく地域の皆様の癒しの場所として親しまれるポケットパークとなれば幸いです。
（斉藤健司さん）

【DATA】 所在地：千葉県浦安市富岡2-1-1　☎047-353-3111（代表）
アクセス：JR「新浦安駅」より徒歩約8分　　OPEN：終日公開、日・祝・第2土曜・年末年始・創立記念日（5月15日）は休み

文化と出会い、森に憩う。

⑧ ノリタケの森
Noritake Garden

ノリタケが運営する陶磁器に関する複合施設で、緑あふれる園内では四季折々の花や植物、鳥たちを見ることができます。明治37年建築の赤レンガ棟や6本の煙突モニュメントもある都会の中の憩いの場所です。また園内には、製造工程の見学や絵付け体験ができるクラフトセンターをはじめ、オールドノリタケが展示されているミュージアム、直営ショップ、レストラン、カフェ、ギャラリーが点在しています。

春の新緑から晩秋の鮮やかな紅葉まで四季折々の楽しみ方がノリタケの森にはあります。ぜひゆっくりと散策を楽しんで下さい。
（笹木 斉さん）

【DATA】 所在地：愛知県名古屋市西区則武新町3-1-36　☎052-561-7114
アクセス：地下鉄「亀島駅」より徒歩約5分、各線「名古屋駅」より徒歩約15分
OPEN：900〜1900（施設は10時より）、月曜（祝日の場合は翌日）・年末年始休

【DATA】所在地：大阪府大阪市北区堂島浜1-2-1
アクセス：京阪電気鉄道「大江橋駅」より徒歩約2分、JR西日本「北新地駅」より
徒歩約5分、各線「淀屋橋駅」より徒歩約5分　　OPEN：終日公開、年中無休

先代ビルの理念を継ぐ、新しい「共生の場」

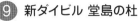

❾ 新ダイビル 堂島の杜
Shin-Daibiru Building Doujima-no-mori

旧・新ダイビルを建替し、2015年春に竣工。かつての屋上樹苑にあった樹木の中から、樹齢約50年のケヤキやモミジなどを移植し、さらに多くの植物を新たに植栽。約3,300㎡という広い土地に、緑豊かな新しい広場「堂島の杜」がつくられました。"人だけでなく生物にとってもやさしい森"という、旧ビル時代からの精神をしっかり受け継いだこの緑地は、緑が少ないと言われる中之島エリアにおいて貴重な緑のオアシスです。

運がよければ、渡り鳥のヤブサメや河原近くの緑を好むカワラヒワなどの鳥類を見られます。
（ダイビル 對中秀樹さん）

緑陰でのんびり過ごせるマンション広場

❿ なんばセントラルプラザ リバーガーデン
NAMBA CENTRAL PLAZA RIVER GARDEN

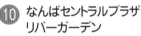

マンション敷地と一体化した緑豊かな広場を一般公開している、やや珍しいスポット。JR難波駅の目の前というアクセスのよい立地ながら、比較的静かでくつろぎやすい環境です。樹木も多く、都市公園と比べても引けをとらないほどの緑の濃さがあります。暑さの厳しい昨今、たっぷり茂った葉っぱが生みだす木陰は大変ありがたいもの。マンションの住民にも、大阪を訪れるあらゆる人々にも、癒しと潤いを提供してくれる広場です。

「蝶と鳥が舞う、都心の生息空間」がコンセプト。様々な世代の方が思い思いに過ごす居心地の良い空間が誕生しました。
（阪神園芸 顧問 作間愛生さん）

【DATA】
所在地：大阪府大阪市浪速区湊町2-2-5
アクセス：JR西日本「JR難波駅」すぐ　　OPEN：終日公開、年中無休

段々に連なる緑のテラスは、まさに都会の森

⓫ なんばパークス パークスガーデン
Namba Parks, Parks Garden

曲線美を生かしたガーデンが2階〜9階まで段丘状に連なる、日本最大級の屋上公園。通路を含めた約11,500㎡もの緑地には、なんと約500種、10万株以上の多様な植物が。そのインパクトはまるでバビロンの空中庭園のよう。また、環境に配慮して殺虫剤などの農薬を一切使っていないから、安心していつでも散策が楽しめます。たくさんいる野鳥や昆虫ともふれあえば、都会の真ん中であることをすっかり忘れてしまうかも。

【DATA】所在地：大阪府大阪市浪速区難波中2-10-70　☎06-6647-0092
（10：00〜18：00）　アクセス：南海電鉄「なんば駅」直結、地下鉄御堂筋線
「なんば駅」より徒歩約7分　　OPEN：10：00〜24：00、店舗休日に準ずる

3階にある「インフォメーション＆ボタニカルショップ」では、パークスガーデンのご案内や珍しい植物を販売。ぜひ、お立ち寄りください！
（伊藤香緒理さん）

今や、都会の真っ只中に「里山」をつくる時代！

⑫ 「新・里山」「希望の壁」
New SATOYAMA / Wall of Hope

「里山」という言葉が広く一般に使われるようになって久しいですが、ここは大都会 大阪のど真ん中でありながら、雑木林や棚田、畑などがあり、野生の鳥や昆虫も多く見られる……まさに次の時代に向けた "新発想" の里山です。新梅田シティのビル北側に広がり、面積は約8,000㎡とかなり広大。米や野菜は無農薬（一部減農薬）で育てています。

また、緑地内で刈り取った草や剪定した枝などは堆肥にして利用しています。

日本の原風景をお手本に作った「新・里山」は、様々な生きものたちが集まり、四季の移ろいを感じる憩いの空間となっています。
（積水ハウス 八木隆史さん）

【DATA】所在地：大阪府大阪市北区大淀中1-1-88　☎：06-6440-3899
アクセス：阪急線「中津駅」より徒歩約7分、各線「大阪駅」より徒歩約9分
OPEN：終日公開、年中無休

果物も野菜も米も、駅ビルの屋上で育てる

⑬ 大阪ステーションシティ
Osaka Station City

都心にいながらも訪れるすべての人々に「癒し」や「四季」を感じていただけるよう、施設には季節の草花を配備した様々な広場があります。ノースゲートビル14階にある「天空の農園」では、野菜の栽培はもちろん、水田やブドウ棚などもあるので、収穫期にはブドウ狩りや稲刈り、サツマイモ掘りなど様々な収穫イベント（抽選）を開催しています（※詳しくは大阪ステーションシティ公式HPをご覧ください）。

天空の農園でなにわの伝統野菜や珍しい野菜を育てています。四季折々の花が咲き季節によって景色が変わる広場をお楽しみ下さい。
（グリーンスタッフ 小笠原さん）

【DATA】所在地：大阪府大阪市北区梅田3-1-3　☎：06-6458-0212(10:00〜20:00)
アクセス：各線「大阪駅」直結、地下鉄「梅田駅」より徒歩約3分　OPEN：広場により異なる(天空の農園は7:00〜21:00)、休日は店舗により異なる

約180mの運河が流れる「都市の劇場」

⑭ キャナルシティ博多
Canal City Hakata

九州最大級の商業＆ビジネスの中心街にあり、商業、映画館、劇場、ホテルなど様々な機能が集まった複合施設です。名前の "キャナル" とは英語で運河のこと。曲線的で色彩豊かな建物が並ぶ街の中央に、約180mにわたって水が流れていることが最大の特徴です。水はこの広場の要といえる重要な要素で、水辺にはベンチが置かれ、噴水も多く設置されています。そのほか、水をテーマとしたイベントなども開催されています。

開業二十余年を経て、オープンモールを彩る樹木や草花も人工の環境に馴染むように徐々に変化させてきました。夏にはセミの大合唱が定番になっています。
（広報 荒木夏美さん）

【DATA】所在地：福岡県福岡市博多区住吉1-2　☎：092-282-2525(受付時間10:00〜21:00)　アクセス：地下鉄「祇園駅」または「中洲川端駅」より徒歩約9分　OPEN：10:00〜23:00(一部店舗は除く)、年中無休

毎日の暮らしに緑・ハーブのチカラを！

メディカルハーブガーデン
薬香草園

1／ハーブに詳しい専任ガーデナーが常駐している薬香草園　2／ガーデンでは季節ごとに花が咲き、色彩も豊か　3／レストランでは季節のハーブを利用したランチビュッフェをご賞味あれ　4／生活の木オリジナルのハーブ関連グッズも取り揃えています　5／花苗・ハーブ苗の販売も。おみやげにピッタリです　6／ビールの原料になるホップも、ハーブの仲間　7／日本に元々生えていたハーブを観察できる特設花壇もあります

　私たちの身の回りには、心身に影響を与えるストレスの原因が満ちています。一方で私たちは、はるか昔から健康に植物や自然を活用しており、古代ギリシャの医師が健康改善に自然散策や農作業を勧めたという記録もあります。

　香りのある草木を意味するハーブ（herb）という言葉は、ラテン語で「緑の草」を意味するヘルバ（herba）を語源としています。飯能駅から徒歩約20分のメディカルハーブガーデン薬香草園（㈱生活の木）は、暮らしと健康に貢献するハーブ本来の用途を考えるのに最適なスポット。健康維持に役立つとされる"メディカルハーブ"を年間約200種集めた整形式ガーデン『薬香草の丘』、リンデン木陰のベンチで芳香浴を楽しめる『ヒーリングの丘』、蒸留体験講座で使用するフレッシュハーブを栽培する『蒸留実験ガーデン』の3つのゾーンからなります。ハーブや草花を見て、触れて、香りを感じるだけに留まらず、専任のガーデナーがガーデンを案内するプランもあります。皆さんも、ハーブの多彩な魅力を体験しませんか。

（文＝（公財）都市緑化機構）

Special 暑さに負けない花 「夏花」って何だろう？

話=竹谷仁志　写真=編集部、竹谷仁志＊、㈱グリーバル＊＊、㈱サカタのタネ＊＊＊

　かつて 1964 年秋に開催された東京オリンピックでは、世界中からのお客様をもてなすために、会場周辺が秋の花で彩られました。それまでほぼ春だけのたしなみだった日本のガーデニングが秋にまで楽しまれるようになったのは、これが切っ掛けだったと言っても過言ではないでしょう。

　さて、来たる TOKYO2020 は真夏の開催。最近では地球温暖化の影響もあって、僕たち人間だけでなく植物にとっても夏は厳しい季節です。そこで活躍するのが、暑さに強い『夏花』。大小はもちろん寒色系から暖色系までと実に多彩な品種が揃っており、すでに東京でもお台場をはじめ各所に植栽されています。今まで日本の花農家では夏用の花苗はほとんど作ってきませんでしたが、今回の大会を経て農家の考え方も大きく変わりつつあるようです。

夢の島公園 花壇の全景。奥の建物は熱帯植物館（＊＊）

真夏の花壇を華やかに彩る
「夏花」 ラインナップ

1／ヒマワリ サンビリーバブル（キク科）　2／ジニア プロフュージョン（キク科）　3／センニチコウ（ヒユ科）　4／アゲラタム トップブルー（キク科）　5／ペチュニア（ナス科）　6／ブラックパール（ナス科）　7／メカルドニア（ゴマノハグサ科）　8／マリーゴールド（キク科）　9／トレニア サイクロン（アゼナ科）を訪れたクマバチ　10／タイタンビカス（アオイ科）　11／コリウス（シソ科）　12／真夏でも開花するバラ True Bloom（バラ科）
※この他にも様々な品種・色のものがあります

竹谷さんがデザインし、実験も兼ねて多彩な夏花で彩られた夢の島公園（江東区）の花壇。東京2020ではアーチェリー競技会場となることを踏まえ、的をデザインモチーフにしています。
（撮影日：2019年7月29日）

たけたにひとし
竹谷仁志さん

お花がかり株式会社代表取締役。一級造園施工管理技士。一級土木施工管理技士。花と緑に係る街づくりからイベントの企画、設計、運営、プロデュース等を展開。サンシャインシティ、六本木ヒルズ、深川ギャザリアほか様々なプロジェクトに携わる。東京2020では内閣府による「ジャパンフラワープロジェクト」のアドバイザーとして、夏の東京を日本産の花で彩る取組を進めている。

春から晩秋にかけてまで長期間花を咲かせ、カラーバリエーションも豊富なペンタス（アカネ科）。小さな花がたくさん集まって咲いており、チョウなどの昆虫にとっても貴重な蜜源となっています

臨海副都心 夢の広場／夏花花壇
（撮影日：2019年7月24日）

東京2020は夏花と一緒に楽しむ！ 臨海副都心の「おもてなしガーデン」

東京臨海副都心における2020年の競技会場とおもてなしガーデン位置図

有明BMXコース
自転車競技（BMX）（O）
スケートボード（O）

お台場海浜公園
トライアスロン会場（O,P）
マラソンスイミング会場（O）

有明テニスの森公園
テニス会場（O）
車いすテニス会場（P）

有明体操競技場
体操、新体操、トランポリン（O）
ボッチャ（P）

ウエストパークブリッジ

石と光の広場

夢の広場

潮風公園
ビーチバレーボール会場（O）

青海アーバンスポーツ会場
バスケットボール（3×3）会場（O）
スポーツクライミング会場（O）
5人制サッカー（P）

滝の広場

東京国際展示場
（ビッグサイト）
メディアセンター

【凡例】

□　・・・ガーデン設置エリア

「おもてなしガーデン」めぐり　※2019年2月24日
1／背丈が高く、花も大きいためによく目立つタイタンビカス（夢の広場）　2／夢の広場 パレットタウン前　3／喫煙所近くのヒマワリ サンビリーバブル（石と光の広場）　4・5／水上プランターに植えられたジニア プロフュージョン（滝の広場）

レガシーとして「夏花」を未来へつなげたい

　現在、お台場を中心として大会の会場周辺に植栽されている『夏花』ですが、これから目指すべきは、夏に花を楽しむことが日本の新しい"文化"として定着すること。そのためには、TOKYO2020だけで『夏花』が終わってしまってはいけません。これからも公園をはじめとして、街中の公共スペースなどでもっと使われていくような仕掛けが必要ですし、そのためには地域の皆さんにももっと花を育てることに参加してもらいたいですね。

　多くの『夏花』はお手入れが簡単で、一般のお庭でも育てやすい品種が揃っています。種類が豊富な分、花を長く楽しめるのもメリットです。前回の東京大会を経て秋のガーデン文化が浸透したなら、今回は東京2020を経て夏のガーデン文化が生まれてほしい……僕はそう願っています。

夏に強い花壇植物「暑さOK!」シリーズを背丈・色・適した用途で分かりやすくまとめた『簡単に選べMap』。壁などに貼り付けて使えます（提供：㈱サカタのタネ）

Information

地域の皆さんと一緒に夏花を育てる　**隅田川テラスの夏花花壇**

墨田川下流の領岸に広がる隅田川テラスでは、地元にお住いの皆さんが"花守（はなもり）さん"として花壇づくりを行っています。2018年から『夏花』も植えるようになり、真夏の川沿いが花で彩られています。
※現在、花守さん新規メンバー募集中です。

【問合せ】（公財）東京都公園協会
水辺事業部 調整課　松隈宛
Tel：03-3553-7240
Mail：matsukumar@tokyo-park.or.jp

花のある町を
みんなで作る

ohanagakari

お花がかり株式会社

代表取締役／竹谷仁志（一級造園施工管理技士、一級土木施工管理技士）
事業内容／花壇の企画・設計・施工・メンテナンス、花と緑に係るイベントや
　　　　　街づくりの企画・計画・設計・運営・プロデュース　ほか）
ホームページ／ http://www.ohanagakari.jp/
Facebook ／ https://www.facebook.com/ohanagakari

マルモ出版発行の雑誌LANDSCAPE DESIGN No.99よりシリーズ掲載してきました戸田芳樹氏による「デザインを読み解く」に戸田氏自ら加筆し、1冊の本にまとめました。

昭和を代表する作庭家10名による11作品を、あるときはランドスケープアーキテクトとしての視点、またあるときは日本庭園を基本とした見方でそのデザインの意図を著者が探り、解説します。

本のサイズはヨコ162mm、タテ257mmと、本を片手に作品を見て歩くのにちょうど良いサイズに再編集。紹介している11作品を、この本とともに歩いてみてはいかがでしょう。

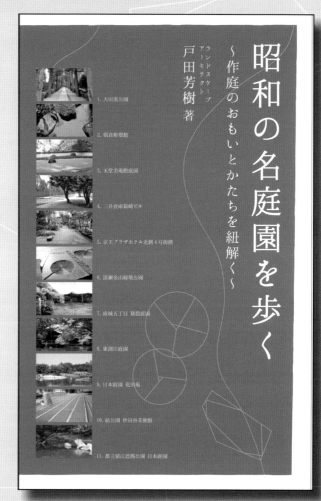

昭和の名庭園を歩く
～作庭のおもいとかたちを紐解く～

ランドスケープアーキテクト
戸田芳樹 著

1. 大田黒公園
2. 朝倉彫塑館
3. 玉堂美術館庭園
4. 三井倉庫箱崎ビル
5. 京王プラザホテル北側4号街路
6. 清瀬金山緑地公園
7. 成城五丁目 猪股庭園
8. 東渕江庭園
9. 日本庭園 花田苑
10. 砧公園 世田谷美術館
11. 都立猿江恩賜公園 日本庭園

掲載作品と作庭家
01. 大田黒公園／伊藤邦衛
02. 朝倉彫塑館／朝倉文夫
03. 玉堂美術館 庭園／中島 健
04. 三井倉庫箱崎ビル／小林忠夫
05. 京王プラザホテル 北側4号街路／深谷光軌
06. 清瀬金山緑地公園／鈴木昌道
07. 成城五丁目 猪股庭園／田中泰阿弥・蛭田貫二
08. 東渕江庭園／小形研三
09. 日本庭園 花田苑／中島 健
10. 砧公園 世田谷美術館／野沢 清
11. 都立猿江恩賜公園 日本庭園／伊藤邦衛

価格
1,000円 (税別)

書籍名／昭和の名庭園を歩く
　　　　～作庭のおもいとかたちを紐解く～

著者／戸田芳樹

サイズ／ヨコ162、タテ257mm　本文84ページ

【ご注文・お問合せ先】株式会社マルモ出版　　TEL.03-3496-7046　　Email:maru@marumo-p.co.jp

U&U 上野 泰 自選集

UENODESIGN + YASUSHI UENO

U & U

上野 泰 自選集

目次

著者：上野 泰

判型等：A4 変型 (W224mm × H260mm)
オールカラー 本文：128 頁

価格
2,700円 （税別）

多摩ニュータウン
落合・鶴牧地区 富士見通り

著者：上野 泰 氏のコメント

この冊子の特性を語る最もふさわしい言葉を選ぶとすれば… それは、Ettore Sottosass jr. の〈Snaporazz Restaurant〉についての、Marco zanini による、「一つのヴィジョンを実現化しようとするのではなく、複合的な有機体を発展させる物として捉え、コラージュ、アッセンブリジ、不連続性を通じたエレメントを配して空間を分節し、洗練させ、深化させようと試みた。」という解説文（SD 1987・3）そのものであろう。学生時代の課題作品から、初期の習作。ニュータウンから再開発計画。デッサン、彫刻、クラフト、ものがたり、講演まで、関わった個人の "部分的視野" を通じた、主観的表出は、すべてフラットな "フィクション" の地平にあると説く、万華鏡のようなコラージュの世界。"UENO WORLD" の INDEX。お楽しみください。

【ご注文・お問合せ先】株式会社マルモ出版 TEL.03-3496-7046 Email:maru@marumo-p.co.jp

今までなかった！ 日本独自の園庭づくり実例集

物語の生まれる園庭づくり

Growing Playgarden
for Starting Well

ANEBY CO., LTD. [Editing and writing]

物語の生まれる
園庭づくり

株式会社アネビー 編著

好評発売中

編著／
株式会社アネビー

幼児教育（保育）の
質を問われる今日、
世界最高水準の
教育を実践している
施設を紹介する

価格（税別）
2,315円

A4 変型（W225mm × H297mm）
オールカラー
本文：176 頁

【ご注文・お問合せ先】株式会社マルモ出版　　TEL.03-3496-7046　　Email:maru@marumo-p.co.jp

花と緑の博覧会「**全国都市緑化フェア**」

文＝（公財）都市緑化機構、写真＝編集部、（公財）都市緑化機構＊

第29回全国都市緑化フェアTOKYO

期間：2012年9月29日〜10月28日
主な会場：上野恩賜公園、井の頭恩賜公園、日比谷公園
　　　　　浜離宮恩賜庭園、国営昭和記念公園、海の森

1／花鳥園グループが提案する、これからの時代の温室施設『1000㎡型花鳥園』。井の頭恩賜公園会場に設置されました（＊）　2／日比谷公園会場より、子供たちの参加するワークショップ（＊）　3／上野恩賜公園会場の「東北『農』の庭」　4／上野恩賜公園会場では動物園にちなみ、ゾウのフラワーアートピアリーが登場　5／浜離宮恩賜庭園会場にもゾウのトピアリーが。江戸時代にベトナムから徳川吉宗に寄贈されたゾウがモデルです　6／森ビル主催のツアーにて、アークヒルズの緑地を見学

東京ディズニーランドが開園した1983年、都市に緑を増やすことを目的に「第1回全国都市緑化フェア」が大阪で始まりました。以降毎年、日本のどこかで花と緑の祭典として開催されています。東京では1984年に「第2回全国都市緑化フェア」が、2012年に「第29回全国都市緑化フェア TOKYO ～TOKYO GREEN 2012～」が開催されました。

2度目の東京開催となった第29回の開催テーマは「緑の風がふきぬける東京」。東京を代表する6ヶ所の公園（上野恩賜公園、井の頭恩賜公園、日比谷公園、浜離宮恩賜庭園、海の森、国営昭和記念公園）が『メイン会場』に選ばれました。そのほか、毎年秋に日本有数の都市型ガーデンショーが開かれている丸の内仲通りと、東京駅と皇居を結ぶ行幸通りは『丸の内会場』に。メイン会場以外の都立公園や都立庭園、湾岸エリアにある海上公園、区市町村の公園などは『サテライト会場』とされ、そちらでも花と緑のイベントや展示を実施。さらに屋上・壁面・公開空地の緑化など、緑の創出に取り組んでいる民間施設は『サテライトグリーン』として、フェアを盛り上げました。

特に森ビル㈱はフェア期間中に、緑の中でハーブを使ったお茶とお菓子を楽しむ『HILLS GREEN CAFÉ』、マウンテンバイクに乗って、いくつかの緑化施設をめぐる『ヒルズの緑 サイクリング・ツアー』、専門家の解説を受ける『都市緑化見学バスツアー』など、参加無料のイベントを多数実施。東京都心部における緑の大切さやその可能性を体感できる様々な取り組みを行いました。

その後の全国都市緑化フェア　―花と緑のニューウェーブ―

みなとガーデン内でも一際華やかな山下公園。フェアを境に花壇を大幅にリニューアルしました

森に囲まれた緩やかな斜面を美しく彩る、里山ガーデンの大花壇

2017年のフェアから繋がった横浜のガーデンネックレス

みなとみらいや中華街など、数々の観光スポットのある横浜。この横浜でも、約100万本の花が咲き誇り、美しい春の横浜を演出した「ガーデンネックレス横浜2017（第33回全国都市緑化よこはまフェア）」が開催されました。シンボルキャラクターとして、グリーンの体に満開の"天然"花アフロヘアーが自慢の元気いっぱいのクマ『ガーデンベア』が誕生しました。このレガシーを継承し、発展させる"ガーデンシティ横浜"のリーディングプロジェクトとして、2018年以降は「ガーデンネックレス横浜」のイベントが実施されています。

そして、2020年

第37回全国都市緑化ひろしまフェア
ひろしま はなのわ 2020

ひろしまはなのわ2020 フラワーアンバサダー／STU48

期間：2020年3月19日～11月23日
主な会場：中央公園（メイン会場）、国営備北丘陵公園、県立びんご運動公園、県立せら県民公園、広島県内23市町のスポットイベント会場 ほか

公式HPはこちらから

Special Thanks
クラウドファンディングにご協力いただいた皆様

東京のまちみどりっぷはクラウドファンディングに挑戦しました！（3月31日目標達成）

本書「東京のまちみどりっぷ」におきましては、意外と知られていない東京の"緑力"を知っていただき、利用し楽しんでいただくというコンセプトのもと、東京の緑を利用する価値を皆様と共有したいという想いからクラウドファンディングに挑戦しました。その結果、目標金額の65万円を達成し、おかげさまで総支援額 896,000円 93名からのご支援をいただき、プロジェクト成立となりました。本ページでは、感謝の気持ちを込めてご支援いただいた皆様を紹介させていただきます（希望者の方のみ）

合同会社 ars 設景　様
天羽 浩行　様
有田 和實　様
株式会社イケガミ　様
石村 黄仁　様
市川 晴久　様
植田 直樹　様
有限会社 HA2　様
江尻 晴美　様
近江 慶光　様
小山内 浩　様
カレンフジ株式会社　様
北原 恒一　様
有限会社グランツ
TOMOAKI TAKAMATSU　様
クリスマスローズナーセリー清水　様
榊原 八朗　様
有限会社サット　様

佐藤 美千代　様
一般社団法人森林風致計画研究所　様
鈴木 敏行　様
鈴木 眞人　様
株式会社生光園　様
セット設計事務所　和田 淳　様
髙橋 靖一郎　様
田口 真弘　様
株式会社タクト　様
千葉 晋也　様
庭園ソムリエ Meg（メグ）　様
株式会社戸田芳樹風景計画　様
鳥潟 佑樹　様
永石 貴之　様
成瀬 敏一　様
西森 徳嗣　様
橋本 百合子　様

花と緑のライフスタイル研究所　様

ひろかわまこと　様

有限会社フェードイン　様

福岡 孝則　様

福成 敬三　様

福豆屋　様

文 杰　様

細谷 恒夫　様

牧田 直子　様

松田 元男　様

三浦 秀之　様

水崎 貴久彦　様

みの　様

宮川 央輝　様

宮崎 朋子　様

村田 江里子　様

藻谷 浩介　様

藻谷 陽子　様

森重 玲子　様

柳澤 茉利　様

矢野 康明　様

株式会社ユニマットリック　様

渡辺美緒デザイン事務所　様

（50音順）

COMMENTS
協力者の皆さまからの応援メッセージ

私も鎌倉花歩きの講座を主宰していますが、実際に歩いて緑や自然の心地よさにふれることで「楽しい」「好き」「大切にしたい」の想いがはぐくまれるのを実感しています。東京のまちの緑を愛する人が増えて、緑あるまちづくりやヒートアイランド防止に繋がればと期待しています。
（講座 花をたずねて鎌倉歩き
鎌倉・自然に学ぶ会主宰　村田江里子さん）

私たちは「人にみどりを、まちに彩りを。」をミッションに、緑の力による豊かな暮らしづくりを応援しています。
（株式会社ユニマットリック）

緑のオープンスペースでの
最高の体験を応援します！
（有限会社フェードイン）

みどりが生活の中に溶け込み、共に変化し続けていければとおもいます。新しい行動力を嬉しく感じ、応援します！
（有限会社グランツ TOMOAKI TAKAMATSU）

花と緑のおもてなしがますます重要になります。公開空地の緑や屋上緑化、都立公園や文化財庭園など、美しい写真と分かりやすいコメントで紹介とのこと。大いに楽しみにしています。
（花と緑のライフスタイル研究所
北原恒一さん）

これから環境問題は大事なことです。
出版に期待しております。
（株式会社戸田芳樹風景計画）

丸茂さん、応援しています。
（藻谷陽子さん）

「東京ほど静かで、まちなかでもそこかしこで豊かな自然を楽しめる大都市はない」と、あるイギリス人が言っていました。日本人の方が気付いていない、東京の実力を解き明かすこの出版を、心待ちにしています。

（藻谷浩介さん）

進士五十八の風景美学

好評
発売中

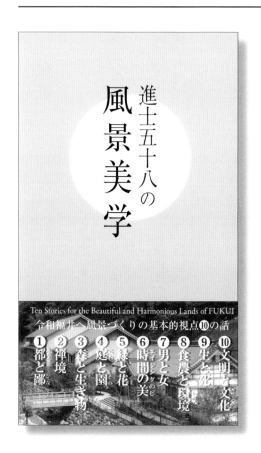

価格 / **700円** (税別)

この本について

本書は、著者 進士五十八氏が曹洞宗大本山永平寺の機関誌『傘松』に連載した「園林家十話」の改題版です。永平寺監院の小林昌道老師より禅家と市民の双方をつなぐ「禅の里」構想について助力を求められた著者が、風景づくり・まちづくりのノウハウをベースに、美しい風景の地域創造のための10の基本的視点（都と鄙／禅境／森と生き物／庭と園／緑と花／時間の美／男と女／食農と環境／生と死／文明と文化）について綴る1冊です。（新書版・192頁）

著者 進士五十八先生

【ご注文・お問合せ先】株式会社マルモ出版　　TEL.03-3496-7046　　Email:maru@marumo-p.co.jp

東京タワー（絵＝浜松町・芝・大門マーチング委員会）
Licensed by TOKYO TOWER

東京のまちみどりっぷ

2020年5月29日発行

発 行 者	丸茂 喬
発 行 所	株式会社マルモ出版
	〒150-0036　東京都渋谷区南平台町4-8
	南平台アジアマンション708
	Tel：03-3496-7046　Fax：03-3496-7387
	Mail：maru@marumo-p.co.jp
	https://www.marumo-p.co.jp/
編集企画制作	株式会社マルモ出版
編集・デザイン	中村 桂祐
Web・イベント企画	丸茂 弘之
出 版 協 力	公益財団法人 都市緑化機構
	公益財団法人 東京都公園協会　ほか
絵・イラスト提供	一般社団法人 マーチング委員会
	株式会社マインドシェア　ほか
印 刷・製 本	株式会社ディグ